175

IIK/p

D1272334

Plaza & Janés, S. A. Editores

Hijos del viento (*Huairapamushcas*)
Novela

Jorge Icaza

PQ 8219
I2
H75
1973

Portada de

ODUBER

© 1973, Jorge Icaza
Editado por PLAZA & JANES, S. A., Editores
Virgen de Guadalupe, 21-33
Esplugas de Llobregat (Barcelona)

Printed in Spain
Impreso en España

Depósito Legal: B. 26.154 - 1973
ISBN: 84-01-44091-2

GRAFICAS GUADA, S. A.   —   Virgen de Guadalupe, 33
Esplugas de Llobregat (Barcelona)

VOCABULARIO

ACHACHAY. — Exclamación con que suele expresarse la sensación de frío.

AGRADITO. — Obsequio para agradar y conseguir algún favor.

AMAÑARSE. — Hacer vida marital sin estar casados.

AMAYORADO. — Tener la audacia de comportarse como persona mayor.

ANACO. — Tela con que se envuelve la india de la cintura para abajo a guisa de falda.

AQUICITO. — Diminutivo popular y familiar de «aquí».

AREPAS. — Pan hecho de harina de maíz.

ARÍ. — Sí.

ARRARRAY. — Exclamación con que se expresa el dolor producido por una quemadura.

ASHCO. — Perro.

ATATAY — Exclamación con que se expresa la sensación de asco.

AYAYAY. — Exclamación con que se expresa la sensación de dolor en general.

BISHE. — Ternero.

CAINAR. — Vivir en el sentido de ubicación o lugar.

CARÍ. — Hombre.

CARISHINA. — Mujer de pocos escrúpulos sexuales.

CARIUCHO. — Guiso de patatas, carne y pimiento (ají).

CASTEAR. — El coito en los animales.

COJUDO. — Tonto.

CUICHI. — Genio del mal.

CUY. — Conejillo de Indias.

CHAGRA. — El chagra o la chagra: aldeano o aldeana.

CHAGRILLO. — Flores ajadas, pisoteadas.

CHAGUARMISHQUI. — Bebida dulce hecha a base del jugo extraído de la savia, fermentada, del cogollo de la pita.

CHAMICO. — Bebedizo al que se atribuyen virtudes amatorias.

CHAPAR. — Espiar, acechar.

CHAQUIÑAN. — Sendero

en zigzag que trepa por los montes.

CHARQUI. — Carne secada al sol o ahumada.

CHAUCHA. — Trabajo ocasional, remunerado.

CHICHA. — Bebida alcohólica que resulta de la fermentación del maíz, uva u otros frutos, en agua azucarada.

CHIRINCHOS. — Convulsiones nerviosas, casi imperceptibles, con que se reacciona ante el miedo, la sorpresa o la angustia.

CHOLO, LA. — Mestizo de europeo e india. Aplícase también al indio civilizado.

CHÚCARO. — Se dice de las mulas rebeldes.

CHUCHAQUI. — Estado de obnubilación y angustia que sigue a la borrachera.

CHUGCHÍ. — Dícese de la acción de «espigar» los frutos que han quedado en la tierra después de las cosechas.

DIOS SO'LO PAY. — Dios se lo pague.

ENCHAMICADO, DA. — Hechizado por haber ingerido chamico.

FUTRE. — Bien vestido, elegante.

GALLAZO. — Persona de gran poder o influencia.

GUABA. — Guama, fruto del guamo.

GUAGCHO. — Abandonado por los padres, hijo de padres desconocidos.

GUAGRA. — Buey.

GUAGRALOMA. — Cerro en forma de buey.

GUAGUA. — Hijo, niño en general.

GUAGUASHIMI. — Niño de teta muy llorón.

GUAMBRA. — Muchacho o muchacha.

GUAÑUGTA. — Mucho, bastante.

GUARAPERÍA. — Establecimiento en el que se vende guarapo.

GUARAPO. — Bebida fuerte obtenida con el jugo de caña de azúcar fermentado.

GUARMÍ. — Ama de casa hábil en los quehaceres domésticos. Tiene también la acepción de hembra.

GUARMISHA. — Hombre afeminado.

GUAYACO. — De la provincia del Guayacas.

GUIÑACHISHCA. — Sirvienta criada desde niña en casa del patrón.

HUAIRA. — Viento.

HUAIRAPAMUSHCAS. — De *huaira*, viento, y *pamushca*, llegar con él. Gente que trae el viento, que aparece con el viento. La voz ha ido adquiriendo poco a poco el sentido absorbente de insulto, y así la emplea hoy el pueblo: «hijo del viento».

HUASCAS. — Lazos.

HUASIPUNGUERO. — Morador del huasipungo.

HUASIPUNGO. — De *huasi*, casa, y *pungo*, puerta. Parcela de tierra que otorga el dueño de la hacienda a la familia india por su trabajo y donde ésta levanta la choza y cultiva la tierra en los momentos que le dejan libres sus obligaciones para con el patrón.

JODIDO. — Salir malparado, resultar gravemente herido.

LONGO, GA. — Indio o cholo joven.

MACANUDO. — Estupendo.

MANAVALI. — Que no vale nada.

MASHCA. — Harina de cebada.

MERCÉ. — Vulgarismo por merced.

MICUNA. — Oportunidad que se presenta de comer bien.

MINGA. — Asamblea o reunión de los indios o los cholos con objeto de realizar una obra de urgente necesidad social. Tiene también la acepción de trabajo prestado gratuitamente.

MISHCAR. — Coger algo para llevárselo.

ÑAGUÍ. — Tierno.

ÑUTO. — Aplastado, triturado.

OJO DE NIGUA. — «Tener ojo de nigua»: Llorar con facilidad, por cualquier motivo.

PAPACARA. — Literalmente, piel de patata. Se dice también de la lluvia caída en los páramos.

PES. — Vulgarismo por «pues»; a veces tiene también el significado de «pero». Partícula muy empleada en la conversación por el pueblo bajo, a guisa de muletilla.

PINGANILLO. — Calzón de cuero.

PINGULLO. — Pequeña flauta de carrizo.

PHISCO. — Pájaro.

PENDEJADA. — Fruslería, cosa de poco valor.

PONGO. — Indio al servicio de la casa del patrón.

PROBANA. — Pedazo de cualquier género alimenticio que se ofrece al posible cliente para que lo pruebe, o sea, la «cata».

PÚCHICA. — Exclamación con la que se expresa admiración ante una cosa muy grande o extraordinaria.

RABADILLA. — Cadera.

RICURISHCA. — Cosa muy agradable y, en sentido lato, placer en general.

RONDADOR. — Instrumento musical hecho de carrizos en escala.

ROSCA. — Forma despectiva de tratar al indio.

RUCUTUSHCA. — Indio fuerte y de malos instintos.

RUNA. — Indio en la acepción de bajo y ordinario.

SANJUANITO. — Tonada típica ecuatoriana.

SHUGUA. — Ladrón.

SHUNGO. — Corazón.

SHUNSHO. — Tonto.

SIMAYUCA. — Yuyo para bebedizo.

SOROCHE. — Angustia que, a causa de la rarefacción del aire, se siente en ciertos lugares elevados. Médicamente es el llamado «mal de altura».

TAITA. — Padre y protector.

TREINTAIUNO. — Guisado de despojos de buey y pimiento (ají).

TUPUSHINA. — Pañuelo grande que la mujer india se echa sobre los hombros y se anuda por delante para cubrir la espalda.

YUYO. — Hierba que suele utilizarse como condimento.

ZAMARRO. — Calzón ancho confeccionado con cuero de borrego o de chivo.

I

LA LONGA JUANA

Los padres de la longa Juana, unos indios del páramo, huyeron del tutelaje del latifundio de don Manuel Pintado cuando la muchacha entró de servicia en la casa de la hacienda. Al enterarse de la fuga de los indios viejos don Manuel, «patrón grande, su mercé», se rascó la cabeza, echó unos cuantos carajos y comentó frente a la desgracia de la pequeña que en ese momento afanábase por recoger las basuras de un rincón:

—Pobre. Te han dejado guagcha tus taitas. Roscas mala conciencia. Guambra de responsabilidad. Ya voy a decir al mayordomo que no me traiga otra servicia para el mes que viene. Te quedarás en la casa. Con vos, los huasicamas y la vieja cocinera tengo de sobra. Pero todo ha de ser hasta cuando crezcas un poquito más y te desperdicies con algún longo manavali en el potrero o en la quebrada. Bueno: para ese entonces, si Dios me da vida, te daré huasipungo. ¿Qué más quieres? ¿Eh? ¿No dices nada?

En medio del llanto que empapaba sus mejillas la longa sonrió con mueca idiota por la pícara broma del «taita amito» —forma de tratar en la intimidad al propietario—. Desde entonces, inconscientemente, urgida por una pubertad irrefrenable, la pequeña se puso al acecho, día tras día, del longo que le «desperdicie».

No pudieron cumplirse los buenos deseos de don Manuel con la muchacha. A los tres o cuatro años de aquello el omnipotente patrón se sintió enfermo, muy enfermo. Mayordomos, huasicamas y administradores tuvieron que llevarle a la ciudad. La noticia de la muerte de aquella figura patriarcal del vasto latifundio cruzó por pueblos y caminos de los valles y de la cordillera en vértigo de mil memorias:

—Dicen que se apagó como un santo.
—Como un santo para el cielo colorado.
—¡Jesús! No hable así.
—¡Ave María!

A los pocos meses, en reemplazo de don Manuel Pintado, se anunció a los hijos del pueblo de Guagraloma —aldea vecina a las propiedades del difunto—, que llegaría un gran señor de la ciudad.

—Un caballero.
—Futre, dicen.
—Joven, también.
—Gusto para las carishinas.
—Ni que fuera qué, pes.
—El diablo ricurishca de la ciudad para las pobres guambras del campo.
—Ricurishca.
—¿Qué sabrá de la tierra?
—De las tempestades.
—De las crecientes.
—Del viento.
—Del pantano.
—De la montaña palúdica.
—De la vida.
—Nada, pes.
—¿Nada?
—Para eso es patrón.
—Para eso es amo, su mercé.

Y todo sucedió como las gentes esperaban. Después de pasar una noche de pulgas en la posada de San Martín —pueblo de la carretera—, caballero en mula parda por las breñas de la sierra, seguido por un cholo, Gabriel Quintana no sabía a ciencia cierta si maldecir o enorgullecerse del papel que a última hora le había confiado el Destino.

—¿Falta mucho para llegar? —interrogó en alta voz buscando apoyo entre la bruma que lo borraba todo.

—Ya mismito, patrón.
—¿Cuánto?
—Poco no más.
—No veo nada. La niebla...
—Suelte las riendas y deje que la bestia siga el camino.
—Los huecos, los barrancos, las quebradas...
—Del suelo no hemos de pasar. El instinto del animal sabe más que el cristiano —afirmó el cholo surgiendo sucia y turbia su figura entre la bruma. Luego continuó:
—Tómese un traguito de aguardiente. La botella la puse en la alforja de la derecha. Es bueno para el soroche.
Con precauciones y dolores de mal jinete Gabriel Quintana sacó una botella y se bebió dos buenos tragos. El cholo intervino entonces con ladinería de perro pedigüeño:
—Yo también estoy medio ni se qué laya, patrón.
—Bébase el resto —murmuró el caballero de la ciudad entregando de mala gana la última dosis de aguardiente.
—Dios so'lo pay —agradeció el cholo, y, a buen trote de su mula, se perdió de nuevo en la neblina.
Aquel andar a ciegas, borroso lo más cercano a los ojos, oprimía en el coraje y en las prosas ciudadanas del flamante latifundista. Con grito primitivo —temor y protesta a la vez— llamaba de vez en cuando a su acompañante:
—¡Aaah!
—¡Siga no más, patrón!
—¡Aaah!
—¡Por este lado...! ¡Por este lado...!
Una especie de vergüenza biliosa, sin brújula, arrastró de pronto a Quintana hacia el recuerdo de las escenas que cambiaron el curso de su vida. La agonía del viejo que, según el decir y comentar de los pueblos de la sierra, «murió como un santo para el cielo colorado». Sí. Todo se le mostraba preciso, claro. La cama de altos pilares, crucifijo a la cabecera, el señor canónigo Almeida a los pies —ahuyentando con rezos y golpes de pecho a los demonios—, los amigos —frailes, militares de alta graduación, burócratas de copete, apellidos honorables— rodeando el lecho, y la única hija —su Carmen Amelia—, arrodillada en el suelo, bañando con lágrimas y besos la mano del moribundo.

—¡Aaah!

—¡Siga no más, patrón!

—¡Aaah!

—¡Por este lado...! ¡Por este lado...!

La visión del moribundo abrió de pronto los ojos, trató de incorporarse a medias en los almohadones, le miró con súplica agónica para que se acerque, para que...

—¡Aaah!

—¡Siga no más, patrón!

—¡Aaah!

—¡Por este lado...! ¡Por este lado...!

Para que... ¡A él! ¡A él, que tenía náusea de tanto olor a botica, a sacristía, a falsa tristeza. Se acercó y oyó al viejo: «Quizá he sido un egoísta. ¡Pero usted, Gabriel! Usted también... ¡Mi hija! ¡Mi Carmen Amelia le quiere! Les dejo todo. Todito. Pero júreme... Júreme que trabajará en la hacienda. ¡Da para todo! En la Providencia está el porvenir de ustedes. De la pequeña, de los hijos que vendrán... El apellido Quintana Pintado no puede caer en la miseria. Júreme por su honor, por lo que más quiera en la vida, ante Dios crucificado, ante nuestros amigos, que trabajará... Júreme que pagará las deudas para deshipotecar las tierras. ¡Como yo! Mi nombre... Nuestro nombre...»

—¡Aaah!

—¡Siga no más, patrón!

—¡Aaah!

—¡Por este lado...! ¡Por este lado...!

Fue entonces —consciente o inconsciente— que creyó —deseo íntimo, inconfesable— que el viejo esperaba sólo su juramento para morir. Y juró con alegría, con apuro diabólico...

—¡Aaah!

—¡Siga no más, patrón!

—¡Aaah!

—¡Por este lado...! ¡Por este lado...!

Siempre fue lo mismo. Se dejó arrastrar por un vaivén sin orillas, por algún compromiso de última hora, por bastardos intereses. También de muchacho aseguró con frío cinismo haber visto, incluyéndose en el grupo de los escogidos por la Gracia Divina, haber visto parpadear a la Virgen Dolorosa. De hombre se hizo liberal por estar a tono con sus amigos de club y con el círculo que gobernaba el país. Defraudó a su impulso amoroso entregándose mansamente a «su Carmen Amelia», que era como decir

a las tierras de la Providencia, a la casa de Quito, a
los caprichos del viejo Manuel Pintado.

—¡Aaah!

—¡Siga no más, patrón!

—¡Aaah!

—¡Por este lado...! ¡Por este lado...!

La blancura quieta de la neblina se había diluido
en jirones que se arrastraban mansamente sobre la
vegetación enana de las alturas. A la luz de un sol
tibio surgió entonces el paisaje de contornos lejanos. Atrás quedaban las nubes. Hacia adelante un
chaquiñán tortuoso descendía por la ladera. En el
horizonte hervían los cerros.

—Se despejó un poco.

—Todo mismo, pes. Estamos en el punto más alto
del camino. Según dicen a cuatro mil trescientos
metros de altura. ¿Jodido, no?

—Bárbaro.

—Pique no más a la bestia, patrón. A lo peor nos
coge el soroche.

Lejos, muy lejos, abríase la cordillera en altos pa-
redones. Gabriel, sorprendido por lo peligroso de la
ruta que zigzagueaba a sus pies y por la belleza pa-
norámica, detuvo a la mula e interrogó ingenuamente al cholo:

—¿Y dónde está el pueblo?

—Aquicito no más.

—Aquicito —repitió Gabriel con ese mal humor
que se agrava desde las nalgas y desde los riñones.

A primera vista el caballero de la ciudad le pareció el pueblo un montón de chozas y casas pardas
entre tapias derruidas, vegetación explosiva de tunas
y cabuyas, calles —más que tortuosas, sórdidas— con
acequia de agua turbia para beber libremente a la
luz del día y defecar y orinar en la clandestinidad,
de las noches sin luna. La iglesia monumental, erguida
en sarcasmo de torres blancas, daba sombra y amparo
a un semillero de viviendas cholas con corredor al
camino. En la plaza —potrero pelado y aire estremecido de moscas y malos olores— hozaban unos cerdos y vagaban unos burros. Las gentes parecían llenas de un hastío secular y medroso. Miraban con
desconfianza o se escondían para observar a sus anchas desde las rendijas de las puertas desvencijadas,
desde los huecos abiertos en las cercas.

Cuando el cholerío se dio cuenta que el nuevo «patrón grande, su mercé» pasaba hacia la Providencia,

un revuelo de chismes y comentarios se agigantó por
todos los rincones:

—Es él. El mismo.
—Vean al Isidro la prosa que gasta.
—Prosa de mayordomo, pes.
—A rey muerto, rey coronado.
—Joven ha sido. Simpático también.
—¿No será sólo la fachada?
—Para las carishinas.
—Como un perro el Isidro.
—Como lo que es.
—Un perro... Ojalá defienda el agua.
—La leña del monte, el camino... Todo mismo.
—Ojalá.
—Bueno es el Isidro.
—Cholo de los nuestros, pes.
—¿Qué sabrá el forastero de la tierra?
—¿De los indios?
—¿De los negocios?
—¿Acaso es necesario saber? Para eso es patrón.
Para eso es su mercé.

Al sentirse observado, Gabriel trató de erguir su
figura maltrecha. «Parece que se burlan. ¿Se burlan?
¿De mí? ¡Patrón, carajo!», pensó endureciendo el
gesto para imponer respeto —ceño fruncido, pupila
penetrante, frente en alto, nariz oliendo a cosa que
se descompone—.

—Vamos pronto —ordenó después de beber una
botella de cerveza frente a la cantina de mama Candelaria.

—En seguidita, patrón.

La casa de la Providencia, con sus grandes pared-
nes de adobe, su corredor a todo lo largo de la fachada, sus viejos pilares de madera, no le sorprendió
mucho a Gabriel; es más, creyó haberla visto alguna
vez y conocerla íntimamente. Tanto le hablaron de
ella suegro y mujer y tantas vio por los latifundios
de la sierra. En cambio le fue extraño y repugnante
el olor, la penumbra y el tizne de los galpones, del
trapiche, del chozón para hausicamas, del redil, de
los chiqueros y del horno que se amontonaban en
torno de la casa.

No bien cruzaron los viajeros la primera cerca de
palos, soguillas y alambre, cuando se adelantó al
encuentro una tropa alharaquienta de perros. Desde
la cocina y desde uno de los galpones salieron al
mismo tiempo indios e indias de la servidumbre.

Entre saludos, reverencias, el tímido «Ave María, patrón, su mercé», ayudaron a desmontar al señor, descargaron las alforjas y llevaron a las bestias.

A la vista de una hamaca tendida de pilar a muro en el corredor, el cholo Isidro —aferrándose taimadamente a su oficio de indispensable consejero— invitó a sentarse y descansar al nuevo propietario de la hacienda. Quería... Bueno... Conversar con él. Pero en inmediato, siguiendo sin duda el impulso de vieja costumbre, surgió de la penumbra de una de las habitaciones la longa Juana —hecha una mujer en madurez de caderas, de sonrisa, de tetas—, y, acurrucándose a los pies del caballero de la ciudad, trató de quitarle las botas como tenía por costumbre hacer con el difunto don Manuel cuando éste volvía por las tardes de los rodeos o del pueblo. Algo imprevisto descompuso y agravó entonces el desconcierto de Quintana. Era el olor a miseria y a suciedad que despedía aquella mujer aferrada a sus pies. Un vaho tibio de sudores recónditos, de boñiga fresca, de carne podrida, de chiquero al sol, de perro mojado. Algo que se metía por los poros para revolver las entrañas.

—¡No! —chilló el flamante agricultor con náusea apretada en el cuello.

—Deje no más, patrón, que le abra los cordones. Así es la costumbre de la longa —explicó Isidro en tono de quien subraya la rutina de un servicio, de una obligación.

—¡Fuera! ¡No!

Temblando por el terror de su torpeza y por un «fiero ansias» —decir íntimo de diabólico deseo estrangulado—, la muchacha alzó a mirar con asombro de idiota. Luego murmuró a media voz:

—Taitico, su mercé. Yo...

En las facciones toscas e impasibles de ella Gabriel creyó descubrir una venganza impalpable, un alarido de odio secreto como para enloquecer y matar.

—¡Que no, carajo! —insistió el amo cruzando a latigazos la cara de la mujer.

—¡Ayayay, taitiquito!

—¡Que no!

—¡Ayayay!

La intervención oportuna de Isidro apartó a la longa de la furia del señor:

—¡Quítate, bruta! Las guarmis son para la cocina. Anda, no más sin hacerse la ojo de nigua.

En disculpa por su cobarde arrebato Gabriel se tendió en la hamaca. El cholo, que buscaba la coyuntura precisa para asegurar su puesto de mayordomo, no desperdició la oportunidad, y, en vez de retirarse como era lo correcto, se acomodó sobre unos costales y unas monturas que se apilaban en un rincón. De pronto afirmó:

—Son unas bestias, patrón. Unas bestias. ¿Cuánto no hemos hecho con el patrón Manuelito mismo, alma bendita, para hacerles entender las cosas que se les dice? Como hablar al tapial. Jodido es tratar con la gente runa. Jodido y peligroso... Ladrones un diablo. Una vez, cansados de tantas pendejadas de los roscas, les colgamos amarrándoles de los pulgares... Y les dejamos, pes, así toditica la noche en el galpón del trapiche... Untándoles manteca en las patas para que los ratones les hagan chillar a mordiscos... ¡Ni por ésas se compusieron! Verá, patrón...

La música monótona de la estúpida charla del cholo calmó a Gabriel. Entretanto había recorrido con la vista —curiosidad ciudadana— el escenario que le rodeaba —suyo en el futuro—. Las paredes eran viejas, desconchadas, deshacíanse en pedazos. Del capitel de los pilares —cornamentas disecadas de venados— colgaban sogas, frenos, trapos pringosos.

—Yo... Yo he visto, pes, quemar plata en el horno. Con patrón difunto cavamos... Adefesio... Un montón de huesos de cristiano no más había sido.

—¿Huesos? —interrogó Quintana maquinalmente, sin saber lo que decía.

Luego miró con disimulo hacia el suelo de ladrillos carcomidos y grasientos. La humedad manchaba los zócalos y el resplandor del fogón de la cocina —abierta en un extremo del corredor— ponía crepúsculo anaranjado por los rincones y relieve de retablo antiguo en la figura del mayordomo: la boca pronunciada, los bigotes ralos, la cara angulosa, los ojos negros e inquietos, la frente estrecha por un sombrero de forma indefinida, el poncho de aguas largo, brilloso, los zamarros de cuero de chivo, las roncadoras oxidadas en lodo y boñiga, el acial de miembro de toro en forro de piel de oveja, los zapatos de becerro.

—Cuando era guambra y dormía en el galpón que queda junto a la cocina el ruido de las almas en pena me despertaba a medianoche.

—¿Almas en pena?

—Yo he visto con estos ojos que se han de hacer polvo y ceniza.

—¡Oh!

—¡Le juro, patrón!

—Con la luz eléctrica no quedó ningún fantasma en la ciudad —afirmó Gabriel con prosa y burla de hombre civilizado.

—Es que verá, su mercé. Eso es allá, pes. Pero en el campo es distinto. Esta casa, con caserío, con todo mismo, antes de pertenecer al patrón Manuelito había sido de un viejo avaro. Un mal hombre que dicen que arrojaba en las llamas del horno a los guaguas de las longas que les había preñado.

—¿Eh?

—Todo, según dicen, porque se le metió entre ceja y ceja querer ser santo.

—¿Santo a estas alturas?

—Santo de esos que van al cielo, de esos que tallan y pintan para las iglesias.

Inquieto por turbia sospecha sobre el origen de aquel cholo ladino, Gabriel interrogó a quema ropa:

—¿Y desde cuándo está usted en esta casa?

—Desde siempre, pes, patrón. Aquí dicen que nací.

—¿Aquí? ¿Y sus padres quiénes son, dónde están?

—Ah, caray... ¿Mis taitas? —murmuró el cholo rascándose la cabeza en tono de quien se interroga con rubor y orgullo a la vez. Hubiera querido eludir la pregunta no obstante buscarla. Pero... Hizo una pausa. Se acomodó mejor en el asiento de monturas y costales. ¿De dónde venía? ¿Quién era, en realidad?

—¿Llegó al mundo sin padres? —insistió Gabriel.

—Eso no, pes. ¿Cómo? Ni que fuera qué.

—¿Entonces?

—Murieron.

—¿Los dos?

—Sí, patrón.

—¿Cómo se llamaban?

—Taita Dios no permitió que pueda...

—¿Conocerles?

—Eso. Patrón Manuelito, alma bendita, sabía todo, pes. El me dijo una vez que mi mama había muerto al parirme.

—¿Y su padre?

—¡Púchica! Bien curioso ha sido, su mercé. Jodido es, pes, dar con el taita de los pobres. De los pobres cholos como yo. Y más jodido todavía cuando el patrón de uno, que es como Taita Dios, le viene diciendo: «Vos, Isidro Cari, guagchito no más eres.»

—Su apellido es Cari. Luego su padre...

—No. Cari quiere decir hombre no más. Cuando nací han de haber dicho: «Salió cari.» Y desde entonces...

—¿Pero don Manuel no le declaró algo definitivo?

—No, patrón.

—¿Algo que le asegure el porvenir?

—¿Mi porvenir? Yo mismo tengo que hacerle. Así somos los cholos... Ese es nuestro destino.

—Mejor.

—Pero vea, patrón. No soy malagradecido con él. A usted puedo contarle. En vida mismo me regaló un buen pedazo de terreno y una casita.

—¿Síii?

—Con escritura pública hecha en San Martín. Con testigos, con firmas, con papel sellado, con todo fue felizmente.

—¿Quién hubiera creído que don Manuel?

—Un día que tenga tiempo le he de llevar a que conozca y vea mi... —por el gusto de ser quejoso Isidro iba a decir: «Mi huasipungo», pero aquello no le pareció oportuno para sus planes, y terminó—: Mi casa... Mis propiedades...

La casa del mayordomo, como las casas del pueblo y como todas las casas cholas esparcidas por los valles y las laderas de la sierra, aun cuando trataba de copiar la arquitectura de la mansión del latifundio —techo de teja, blanco de cal en las paredes, cornamentas por capiteles en los pilares, arabescos de huesos en el empedrado del corredor abierto al camino, cruz de pararrayo—, mantenía detalles que delataban su parentesco con el tugurio indio —el poyo de adobe, los huecos en la cocina para los cuyes, el temor a los amplios ventanales.

Entretanto, la noche campesina, poblada de rumor vegetal, palpitante de ranas, de grillos, de ladridos lejanos, había borrado el paisaje, el trapiche, los galpones, el redil, los chiqueros, el horno. De pronto, la cocinera, una india vieja con aspecto de bruja, apareció en el corredor llevando un candil en alto para alumbrarse. Se acercó al cholo Isidro y algo le dijo en voz baja. Luego, esperó.

—La comida, su mercé.

—¿La comida? Ojalá pueda...

—Por aquí... Por aquí...

Al entrar Gabriel precedido de la india vieja al cuarto que servía de comedor huyeron las ratas, la penumbra se acomodó por los rincones entre aperos de montar. Isidro, que sabía de las respetuosas distancias entre patrón y mayordomo, esperó su ración sentado en una caja vacía de kerosén, junto al quicio de la puerta, mientras los perros le lamían con insistencia las manos y se sobaban hocico y lomo en los zamarros. La longa Juana sirvió a la mesa; pero Gabriel, lleno de asco y de cansancio, no pudo ni con el cariucho, ni con el queso molido, ni con el dulce de leche, ni con la chicha de morocho.

—Tómese una copita, entonces —sugirió Isidro al observar la falta de apetito del amo.

—Aguardiente puro.

—Como la mano de Taita Dios es para todo. Para las penas... Para la fiebre...

—¿Fiebre?

—Hay de la buena por estos lados.

Al entrar en el dormitorio —espacioso, sombrío, cama de toldo, alacena llena de frascos, banca de medallones, baúl mundo, alfombra empolvada y rotosa, bacín bajo el velador, crucifijo en la pared—, Gabriel descubrió un látigo de tres correas enroscado como sierpe en el perchero.

—¿Y esto? —interrogó presa de inexplicable deseo de huir.

—El acial de patrón Manuelito, pes. Tal como él le dejó después del último rodeo a los runas. Ahora tiene que manejarle su mercé. Es suyo.

—Mi herencia.

—Con la tierra, con los montes, con los indios, con los animales, con el agua, con todo mismo.

—Despide mal olor.

—Asimismo es —continuó el cholo metiendo las narices entre las correas renegridas.

—¡Oh!

—A pelo de mula, a tempestad de páramo, a lodo de pantano, a calentura de guarmi, a sangre y velorio de indio. ¿Sin látigo qué patrón grande, su mercé, ha de ser, pes? ¿Quién para que le respete? ¿Quién para que le obedezca? ¿Quién...?

—Bueno...

—Dormir creo que quiere el patrón.

—Eso. ¡Dormir!

—Antes de irme voy a suplicar a su mercé —solicitó Isidro con su clásica humildad ladina mientras dejaba sobre el velador el candil y la botella de aguardiente que había traído del comedor.

—¿Qué?

—Que diga su mercé si he de seguir de mayordomo, pes. Siempre he sido. Patrón Manuelito mismo decía a todo el mundo.

—No tengo ningún inconveniente.

—Dios so'lo pay, patrón. Patroncito.

—Cosa resuelta —concluyó el caballero de la ciudad acercándose al cholo y arreándole sin disimulo hacia la puerta.

Al trote cansado de la mula, Isidro se hundió en la noche. Llevaba la alegría de estar seguro en su puesto y la sorpresa de haber hablado con desfachatez al nuevo patrón. Nunca con don Manuel Pintado pudo desenvolverse así. El viejo sabía mucho y observaba con ojos de demonio. «Estico está un poco shunsho. No sabe nada de lo que yo sé», se dijo el cholo. Una sensación como de libertad y de dominio se hinchó en su corazón, ofreciéndole perspectiva de imprecisos proyectos. Podría... ¿Qué? Algo que ni él mismo alcanzaba a distinguir. Con movimiento reflejo, delator de recónditas esperanzas, ajustó las piernas e hirió con las roncadoras a la mula.

A los pocos días, después de hurgar en el abandono de los galpones, del trapiche y de la casa; después de meter las narices en lo que había y en lo que faltaba; después de remover las pailas de bronce y toneles entre fuga de ratas y alarde de polvo olor a hollín y a telarañas, Gabriel se dio cuenta que algo empezaba a interesarle en aquel mundo sórdido lleno de sorpresas. En el fondo temía ser atrapado definitivamente e indagaba para su defensa en el saber del mayordomo sobre las posibilidades de negocios rápidos que cubran en pocos meses —diez, siete, cinco—, los pagarés vencidos y las obligaciones que pesaban sobre su herencia.

—El aguardiente... La molienda... —propuso al descubrir un enorme alambique en un rincón.

—Bueno fuera, pes. Pero no hay caña, patrón —informó Isidro rascándose la cabeza.

—¿Cómo?

—Como bien, pes. La tierra de la vega del río que servía para sembrar caña fue inundada por la creciente. Cuánto no hicimos con patrón Manuelito mismo.

Los cañaverales, que eran la afición de todo el mundo, quedaron hechos un adefesio. Castigo de Taita Dios, decían las gentes.

—Qué castigo ni qué pendejada... Lástima de dinero metido en estos bronces.

—Y el trabajo que costó la traída. A lomo de runa. Por el páramo. En ese mismo tiempo acaso había el carretero con autobús hasta San Martín. Más de tres runas murieron quebrados la rabadilla...

Cuando Gabriel se enfrentó a los chiqueros, quizá por todo lo que tuvo que soportar en los primeros momentos de «patrón grande, su mercé», surgió en él una orden vengativa, indiscutible:

—No quiero más cerdos.

—Es buena entrada, patrón.

—El olor me desespera.

—Verá su mercé. A la piara flaca se le suelta en el monte con un buen verraco. Después de unos meses vuelve no más el bandido a buscar la salcita, gruñendo como diablo. Adelante, adelante... Entonces se les trinca a toditicos en el chiquero, se les da afrecho unas pocas semanas y ya está el negocio.

—¡He dicho que no! Hay que vender.

«Vender», se dijo Isidro Cari, y la perspectiva imprecisa que le dejó en su primer encuentro con Gabriel iluminóse de pronto con la esperanza de una buena oportunidad en su provecho.

—He de hacer no más todo lo que usted diga.

A los pocos días desaparecieron los cerdos, e Isidro entregó a Gabriel el dinero que buenamente pudo resbalar entre los escrúpulos y los temores del primer atrevimiento, de la primera audacia como socio clandestino en la herencia de don Manuel Pintado.

El asco que experimentó el caballero de la ciudad en su primer contacto con la longa Juana se fue transformando poco a poco —cada vez con más urgencia— en una inclinación curiosa, sádica, por frecuentar la compañía de la muchacha. En verdad le repugnaba su olor, sus manos sucias, sus bayetas pringosas, sus pies tostados de barro, su voz de pájaro herido en perpetuo trance de pedir perdón, y, sin embargo, algo tibio y apetitoso se mezclaba inoportunamente a la náusea. Es que las cejas anchas, la línea vigorosa de los pómulos, los senos denunciándose núbiles bajo la camisa de liencillo, la boca semiabierta y abultada, las caderas estrechas en la funda del anaco, los brazos desnudos con pulseras de corales, los ojos esquivos, lo rústico y primitivo del gesto, inquietaban diabólicamente el deseo del hombre preso en cerco de castidad forzosa, de abstinencia que se delataba y definía en la correspondencia de Gabriel con sus amigos de la capital:

«Me tienes metido en un rol nada grato: "patrón, su mercé, taitiquito". ¡Figúrate! Después de haber hablado tanto y tan mal de aquella ilustre alimaña de nuestra historia, de nuestra economía, de nuestro vivir cotidiano. Te confieso que me pesa. Que... No he podido aún empuñar el látigo de tres correas —Padre, Hijo, Espíritu Santo—, olor a sangre de indio, que encontré entre los tesoros de la herencia de mi suegro. Me desesperan las moscas, las ratas, el lodo, el susurro suplicante de las mujeres, la presencia de huasicamas y servicias en la casa. Si pudiera por lo menos explicarte el absurdo de la persecución silenciosa, humilde —quizá deseada—, a la cual me parece estar sujeto por la india del servicio doméstico, tal vez me sentiría tranquilo. Es algo que se aferra pegajoso, algo que gana terreno en lo salvaje de la sangre —vaho que sintetiza los malos olores del campo: trapiche, chiquero, mortecina a la intemperie, tierra podrida—. Algún día te explicaré hasta qué punto aquello puede ser a la vez repugnancia, consuelo, angustia, refugio. Como quien huye trepé la otra tarde, por la ladera del monte. Al llegar a un claro de la cima, extenuado de fatiga, creí sorprender en el aire aquel olor. Cerré los ojos. Bajo los párpados la luz de un amable y primitivo sentimiento me dejó desconcertado.»

A medida que pasaban los días los proyectos de rápida transformación que guardaba Gabriel y los consejos interesados del mayordomo —acarreo de cholos negociantes hasta el corredor de la casa de hacienda— tejieron una red de compromisos entre el cholerío de Guagraloma y el dueño de la Providencia.

—Este es el compadre Torcuato Rodríguez, el que nos compró los puerquitos, patrón —anunció Isidro una tarde señalando al hombre de mediana estatura, de poncho de bayeta, de calzón remendado en las rodillas, que había entrado con él en el corredor.

Después de las presentaciones y de hablar de un sinnúmero de cosas que no venían a cuento, el hombre de mediana estatura, de poncho de bayeta, de calzón remendado en las rodillas, que era un desconocido para Gabriel, propuso con sonrisa como de disculpa y ruego:

—Así como compré los puerquitos quisiera que me venda los árboles del bosque de la Rinconada. Pero no, pes, al precio que dice el compadre Isidro. Justo es que me haga una rebajita.

—¿Rebajita? —interrogó Gabriel tratando de enterarse de lo que le hablaban. Algo de un bosque y de un negocio le dijo el mayordomo la víspera, pero en esa forma dubitativa, imprecisa, con la cual solía anunciar las cosas.

—El compadre Isidro me pide treinta sucres enteríticos por cada árbol. ¿Cómo, pes, tanto? Y al rogarle que me rebaje dijo que hable no más con usted. Por eso vengo a rogar.

—¿A rogar?

—A suplicar.

—Patrón Manuelito daba a veinte los más gruesos, pero de monte. Estos son de bosque.

—¿Y los de bosque a cómo daba? —interrogó Gabriel con desconfianza instintiva.

—Nunca se ofreció, pes.

—¿Nunca?

—El compadre también parece enemigo de los pobres. Lo mismo vale. No es bueno ser así —insistió Rodríguez con indignación que parecía de buena ley.

—¿Qué es, pes? Para eso soy mayordomo. Tengo que defender las cosas de la hacienda.

—No como perro con hueso, compadre.

—Bueno. ¡Basta!

—Perdone, patrón. Siempre da coraje que le digan a uno...

—¿Usted cree, Isidro, que no se puede rebajar? —concluyó Quintana en tono definitivo.

—Como poder, poder... Yo, claro... Su mercé comprende. Ahora que... Bueno; haciendo una comparación con los otros nada se saca. Nada...

—Quedamos en veinticinco por unidad para no discutir más —anunció Gabriel con orgullo salomónico.

—Veinticinco sucres.

—¡Sí o no!

—¿Qué hemos de hacer, pes? Peor es estar mano sobre mano. Unos quinientos sucres le puedo dejar de contadito. El resto iré pagando poco a poco. No he de ser su malagradecido, señor. Ni mis guaguas. Ni mi mujer. La pobre.

El mayordomo bajó afirmativamente la cabeza. De

inmediato el flamante latifundista terminó con un gesto generoso:

—¿Hecho?

—Hecho, pes. Eso mismo digo.

—Mañana iremos con Isidro a ver los árboles —concluyó Gabriel.

Cuando los cholos se hallaron lejos de la casa Torcuato Rodríguez, alzándose sobre los estribos y avizorando el camino hacia adelante y hacia atrás, habló con voz temerosa y cómplice:

—Tengo la idea de que nos va a fallar la pendejada, compadrito.

Isidro, que llevaba la delantera, frenó a la mula, y, volviendo la cabeza, en tono socarrón y jactancioso —el que usaba en el trato con los de su clase, exclamó:

—¿Y dónde estoy yo, pes?

—Quiere ver los árboles.

—Dice no más —concluyó el mayordomo con movimiento que parecía advertir: «A ése me lo como crudo.»

Lo desigual del sendero y lo tupido del ramaje de las dos orillas al entrar en el chaquiñán de la loma impusieron una larga pausa entre los compadres, pero al salir al camino real Isidro rompió el silencio:

—Yo no le voy a enseñar los mismos árboles. No, cholito; no me creas tan pendejo. Cara no más tengo. Ese es mi trabajo. Mi parte en el negocio.

—Los peones también. Así tratamos, pes. Sin brazos no se puede hacer nada en ese despeñadero.

—¡Ya sé, carajo!

—Pero algo me dice...

—Que todo debo hacer yo... Y, después, las ganancias a medias.

—Es jodido fallar para uno pobre que vive rogando a Taita Dios por la salud de la Trinidad.

Isidro, que conocía a fondo el alma pusilánime del compadre, moldeado a la sombra del latifundio del curato —fue sacristán en su juventud—, trató de llevar la discusión por caminos de pundonor y de machismo:

—No vendrás con chirinchos a última hora. Siempre quejándote, cojudo. Te han de decir ¡maricón! Hasta Taita Dios te ha de castigar. Siempre echando la lágrima del miedo. Los cholos sin amparo, soliticos, tenemos que ser machos, no temblar por pendejadas, ganar la vida como venga. Apurá a la bestia que es mejor. Con una copa de puro donde las Cumba te quita la tembladera.

—¿Dónde las Cumba? ¡Ave María! Semejante que se han vuelto.

—¿Otra vez?

—No es eso. La pobre Trinidad me contó que la mayor le dejó jodido de platas al Cabrera. Y que la intermedia le dio chamico a don Nicolás.

—Dicen no más, carajo. ¡Mentira!

—¿Mentira?

—Bueno... Y si no hacen así, ¿cómo se defienden las pobres? Acaso tener hijos y mantenerles es cosa fácil para nuestras hembras. Cada uno sabe su negocio.

Gabriel, caballero en su mejor mula y guiado por el mayordomo, recorrió sus propiedades en un día de sol —transparencia en el cielo, pájaros en los chaparros y en las cabuyas, cien tonos de verde en la vega del río, murmullo de agua por barrancos y quebradas, ladridos y voces viriles a la distancia, velo azulino en la cordillera, alegres perspectivas por los caminos—. En contraste incomprensible, las gentes esparcidas por las sementeras del valle, por los recodos de la montaña, por los declives del páramo, por la miseria de los huasipungos, se mostraban pardas, silenciosas, desgarbadas. Isidro, a manera de resumen de cuanto pudieron observar, comentó:

—Estos runas son unos facinerosos, patrón. Llevados por el demonio. Ya les vio cómo viven. Hacen quedar mal. Si le contara... Un día, alma bendita, el patrón Manuelito, con ese corazón tan bueno, tan generoso, les dio, pes, cama de palo. ¿Sabe lo que hicieron? En la cama acomodaron a las gallinas y ellos siguieron en el suelo, entre los cuyes, entre los cueros de chivo, entre los cutules. ¡Mentirosos un diablo! Si alguna vez van con chismes donde su mercé no les haga caso. Se niegan a pagar la deuda de los taitas y de los abuelos difuntos.

—¿Deuda?

—El adelanto que llevaron para la fiesta de la Virgen, pes.

—¿Y quién controla esas cuentas?

—Nadie. Yo me acuerdo toditico.

—¡Imposible! Hay que buscar a una persona que se comprometa a trabajar en eso. Que anote, que me informe con números.

—Patrón... Patrón Manuelito todo guardaba en la

memoria. Así sale mejor para uno.

—¿En la memoria? ¡No! Es urgente un contador o como le llamen por aquí.

—Escribiente quiere decir su mercé.

—Eso.

—Tendré que poner bocas, pes. Ojalá el Víctor Simbaña quiera aceptar. Es el único que conozco.

Más tarde Gabriel recordó en una carta aquella visita a las tierras de la Providencia:

«Un raro orgullo y angustia a la vez experimenté al tropezar con la vida privada de los runas. Sucios, miserables, indiferentes, tristes bajo el flagelo de una naturaleza de machos perfiles y duro vivir. Algo agoniza en ellos. Algo muere. No importa que los niños corran tras de la cerca del huasipungo; no importa que la hembra vaya siempre en pos del marido, diligente y deseosa; no importa que el hombre resista diez horas de labranza si todo es mecánico, sin fe y sin destino. Se descomponen. Su maldito olor a moribundo lo denuncia. No obstante, tengo que confesarlo, aquello me atrae, me seduce. Mi deseo se arrastra hacia las formas simples, hacia lo hediondo y tibio de la carne. La longa Juana, olor a cadáver y fecundación. Cuando afirmé que ella me era insufrible quizá mentía, quizá buscaba un equivalente al desafío taimado de su cuerpo, a su humildad siempre dispuesta a tenderse.»

Víctor Simbaña era un chagra amayorado que usaba zapatos de becerro, sombrero seboso, al cuello se envolvía una bufanda de lana. Trajo de la capital —adonde fue de mozo con el poco dinero que le dejaron los padres al morir— un diente de oro en la boca y el saber socorrido de «secretario de los amantes». De edad indefinible, pétrea la cara, los brazos sueltos, las piernas largas, don Victitor —como le llamaban mozas y mozos al pedirle socorro para su correspondencia amorosa— nunca faltaba a las vísperas de las fiestas onomásticas, a los priostazgos, a los velorios, a los entierros, a los gallos, al juego de pelota de guante, a los matrimonios, a las borracheras en las trastiendas de las dos o tres cantinas que había en el pueblo, donde contaba el último chiste, se hacía lenguas de las maravillas de la ciudad, discutía de política —que si los taitas conservadores, que si los taitas liberales—, y donde su risa y su palabra eran la admiración y el asombro de todos. En verdad, Víctor Simbaña derrochaba ingenio con sus gentes, pero solía acholarse y hasta enmudecía con los señores de las haciendas.

Como a Isidro le pareció que Simbaña era el único capaz de aplacar los afanes de control de su amo, un domingo, antes de volverse a la Providencia, fue en busca del candidato.

—Donde mama Candelaria está —le informó una longuita harapienta que cuidaba a unos cerdos en la plaza.

Al asomarse el mayordomo al umbral del híbrido negocio —estanco, mondonguería, abarrotes—, mugriento y hollinado como todos los del lugar, la vieja dueña, levantando su adiposa figura del suelo, tras un mostrador acondicionado con cajones, comentó:

—¿Qué milagro, pes, don Cari por estas puertas? Parece cosa de Taita Dios. ¿Se cansó mismo de las carishinas del carretero? Enchamicado le he visto todo este tiempo con la Isabelita. ¿A pegarse el traguito del domingo vendrá?

Sin tomar en cuenta los comentarios de la vieja, Isidro interrogó:

—¿En un por si acaso no estará aquí el amigo Simbaña?

—¿Qué es, pes? ¿Con él también querrá cargar donde las Cumba? Eso no ha de oler. Yo le presto la mesa para que escriba las cartas, el tintero, la pluma.

—Una pregunta no más quiero hacerle.

—¿Una pregunta? ¡Pobre de mí! Antes de verle me ha de hacer el gasto primero. Entre copa y copa es bueno.

—Deme una media de puro entonces.

En un abrir y cerrar de ojos la vieja despachó la compra y se guardó la paga en el amplio bolsillo que formaba su camisa en el seno, donde, a más del dinero y un par de tetas de pomposidad negroide, fermentaban en viejos sudores sus objetos íntimos: un rosario bendito, una piedra imán contra el hechizo, un atado de hojas de simayuca con tornasolados restos de cantáridas —secretos para sus artes de bruja y curandera—, una reliquia de la romería al Señor del Árbol, una cinta tricolor del soldado que hace muchos años, muchísimos, le «desgració la virginidad».

Al entrar Isidro en la trastienda Simbaña finalizaba la carta de amor de una cholita de aspecto ruboroso, a quien advertía:

—Sólo por tratarse de vos, guambra carishina, dibujé en el margen este corazón atravesado por un puñal.

—Dios so'lo pay.

—Pero vale real más.

—No tengo, pes. Lo que me dijo conseguí. Así fue el trato.

—Trae lo que sea, carajo. Es una pendejada ser artista con ustedes.

Al desaparecer la muchacha Isidro criticó, burlón, al amigo:

—Un real. Dos reales. ¡Adefesio! Yo le traigo una rica chaucha, cholito. Una rebusca macanuda como dicen los guayacos. Tomemos una copa primero. ¿No le parece? ¡Hay que poner fuerzas!

Antes de terminar la media botella de aguardiente Isidro había ensartado en la codicia de don Victitor un cúmulo de buenas perspectivas económicas.

—No me diga, cholito.

—Usted se ha de entender conmigo. El no sabe de estas cosas. Yo tengo todo en la cabeza. Desde guagua en el trabajo, pes. Por algo es uno... ¡Salud!

—Bueno está, carajo.

—A más del sueldo viene la rebusca. En eso consiste lo bueno. Yo le de orientar... Ji... Ji... Ji...

—Usted y yo, entonces... —concluyó el cholo de diente de oro sorprendido por la suerte de ser él, precisamente él, el afortunado.

—¡Claro! Tanto sacrificio, tanta pendejada. Chupando aguaceros, trepando páramos, rodando en las quebradas como guagra. Calenturas, pantanos, monte, soroche... ¿Para qué? Para que venga un intruso y se lleve todo —dijo Isidro en tono que trataba de justificar su traición.

—Metidos en el pueblo, en la miseria, sin saborear lo bueno de la ciudad. Aguantando las prosas de los dueños de la tierra y el asco y la criminalidad de los indios —se lamentó, a su vez, Simbaña.

Una atmósfera de entendimiento mutuo, de complicidad y de audacia unió a los cholos en un juramento de lealtad sin palabras.

El invierno agravó el aburrimiento. Cargados de

niebla los amaneceres desdibujaban perspectivas y horizontes. A mediodía el sol de las doce —un sol de aguas, según el decir de la gente campesina—, liquidaba la bruma, desenvolviendo al paisaje y acorralando a las nubes por las laderas de los cerros. A la tarde flagelaba la tempestad. Una mañana de aquéllas, sin sol, sin lluvia, Quintana, al impulso de una vehemencia casi inconsciente, se abrió paso entre viejos escrúpulos ciudadanos e indagó en la cocina por la servicia:

—¿Dónde se ha metido?

—¿Quién pes, amito, su mercé?

—La longa Juana, carajo.

—Salió a recoger leña, patrón.

—¿Tardará mucho?

—A la loma del bosque fue.

—Que ensillen una de mis mulas.

—Así será, patroncito.

La vieja cocinera transmitió la orden a los huasicamas. A los pocos minutos, chaquiñán arriba, Gabriel dominó la loma hasta el lindero del bosque. Desde el filo del barranco creyó oír pasos —queja de hojarasca— entre la neblina que se desgarraba en jirones para abandonar el follaje de enredados matorrales, para envolverse en leñosos troncos, para evaporarse en el viento. «Ella. Sola. Para mí bajo el cielo. Sin testigos...», se dijo el amo urgido por la fiebre de un deseo maduro en la abstinencia, en la suciedad, en el mal olor, en la timidez. Saltó de la mula. Con cautela felina —cuidando el hechizo que latía en todo su cuerpo con ansia de violencias— avanzó hacia el encuentro de aquel ruido que parecía jugar al escondite.

—¿Dónde está? —se interrogó a media voz el hombre con fatiga impostergable.

La presencia leve, tímida —pájaro que aletea—, le arrastró por la neblina. «¿Dónde está, carajo? ¿Dónde?», pensó girando enloquecido, buscando entre las sombras fantasmales que le envolvían. Con ardor de desesperación en el fracaso gritó:

—¡Juanaaa!

La voz rodó por la ladera con eco de burla vergonzosa, inconfesable, paralizando el ímpetu del hombre por breves momentos. Una risa histérica se le enredó en los labios. «¿Por qué? Es longa de mis tierras. Mía como las vacas, como los perros, como los galpones, como las cercas, como las piedras, como los árbo-

les, como el río, como la vida y como la muerte de los
indios. Puedo hacer de ella lo que me dé la gana, carajo», surgió el razonamiento gamonal, el consejo diabólico del «amo, su mercé, patrón grande», que había
fecundado en él en pocas semanas.

—¡Juanaaa!

—Mande, amito.

—Por aquíii!

Mientras se acercaba a la voz, al olor de la muchacha, Gabriel no pudo refrenar una alegría estúpida,
muy distinta a su habitual dignidad. Le era imposible
entenderse. De pronto, como una mancha oscura apareció la longa bajo la transparencia juguetona de la
neblina. Miraba con ojos aterrados, acurrucando su
sorpresa con timidez de animal herido junto a una
carga de palos secos. Quiso huir ante la presencia
diabólica que avanzaba. Pero... Era el patrón. Una
dulce carishinería en las piernas le detuvo, aferrán-
dole a la espera. Entre el rechazo y la atracción, entre
el miedo y la curiosidad angustiosa de la sangre, llegó
la orden:

—¡No huyas! ¡No!

Los cuerpos rodaron por el suelo. Raras las palabras
entre la fatiga de la lucha. Olor de hierro oxidado en
las axilas. Tibieza de pan en el vientre. Vencida, temblorosa, aferrándose con las espaldas a la tierra y con
las manos a las hierbas amigas —presa en la trampa
de la felicidad y de la desgracia—, quedó inmóvil la
muchacha, sin saber si el hombre era en realidad...

En los días siguientes los huasicamas, las servicias
y la vieja cocinera volvieron a oír a media noche los
pasos de los fantasmas y de las almas en pena ron-
dando por los galpones.

—El alma del patrón Manuelito creo que está penando.

—¡Ave María!

—¿Por qué será, pes?

—Penando en el trapiche.

—Penando en los galpones.

—Penando por donde duerme la longa Juana.

—Arrastrando cadenas parece.

—Quejándose también parece.

—Como sombra negra. Como sombra de diablo que-
mado.

—Si fueran extraños a la casa ladrarían los perros.

—Yo le vi clarito, pes.

—Yo también.

—Yo le recé un credo.

—Una misa sería de darle.

—¿Y qué dice, pes, la longa Juana?

—Acaso quiere hablar. Hecha la shunsha.

—Ha perdido la pronuncia. Ha perdido la alegría.

—Se acurruca en los rincones como perro cansado, como gallina con mal.

—¿No estará brujeada?

—Por ella han vuelto las almas en pena. Por ella el taita diablo...

—¿No le agarraría el Cuiche en el monte?

—¿El Huaira en la quebrada?

—¡Cosa del diablo! ¡Del diablo colorado!

—¡Taita Dios nos ampare y nos favorezca!

Alarmada y sospechosa la vieja cocinera por tanta murmuración, una noche, después de que Gabriel se encerró en su cuarto y los huasicamas y las servicias se refugiaron en las tinieblas del trapiche y de los chozones del caserío, cerró cuidadosamente la puerta de la cocina, y, acercándose a la longa Juana, que cabeceaba el sueño inquieto de las gentes poseídas por el demonio, le murmuró al oído:

—Juana.

—Ave María, mama señora.

—Despertá, longa.

—¿Qué...? ¿Qué, shunguitica? —exclamó la muchacha en despertar sobresaltado. Y, arrodillándose y poniendo las manos en actitud de súplica, continuó, bajo el peso de una somnolencia donde se materializaban los fantasmas de raras pesadillas:

—Perdón, bonitica.

—¿Qué te pasa, pes?

—Ay... Ay... Ay...

—¿Dónde te duele? ¿Dónde te cayó el mal?

—No... No...

—Decí no más, shunsha. Hecha la guaguashimi. ¿Dónde?

—Aquí, mamitica. Aquí, bonitica —afirmó la muchacha agarrándose con las dos manos el vientre.

Demudada la vieja cocinera, desorbitados los ojos, ordenó mirando hacia la puerta:

—Silencio.

—¿Por qué, pes, mama señora?

—Carishina.

—No, mamitica.

—¿Entonces, qué, pes?

—¡Nooo!

—¿Quién, pes? ¿Taita diablo?

—Taita diablo será... ¿Quién también será?

—¡Ave María! Te voy a ver con la cruz de la ceniza, pes.

—No, mama señora.

—Acercate no más, shunsha.

La vieja arrastró a la muchacha hasta cerca del fogón. Al amor de la lumbre le echó de espaldas. Con maña diabólica la desnudó hasta más arriba del ombligo. Luego, apartando tizones y leños a medio arder, con dedos curtidos de bruja, extrajo del rescoldo de las candelas un gran puñado de ceniza, e hizo con gesto de extraña liturgia una pequeña cruz sobre la piel bronceada del vientre de la longa.

—¡Arrarray! ¡Arrarray, shunguitica!

—Duro aguantá no más la candela. Duro hasta que yo pida a taita diablo colorado.

—Arrarray.

La queja de la longa Juana exaltó el histerismo de la vieja bruja: muecas, aspavientos, rezos de una cábala imposible. Los espasmos de la enferma limpiáronle de cenizas. Entonces «mama señora», abismándose en la huella que la cruz ardiente había dejado bajo el ombligo, dio un grito:

—¡Rucutushca!

—Arrarray, mamatica.

—Por el lodo del pantano, por la lágrima del árbol, por la cresta del gallo, por la caca del cuy, por los cuernos del toro, por los pelos de la araña, por los pulsos del sapo, hablá taita ricurishca.

—Ay... Ay... Ay... —se quejó la longa tratando de agarrarse la barriga chamuscada.

—Espera. Quiero ver.

—Arrarray.

—¡Aquí está! —anunció la vieja metiendo las narices y las manos en la mancha roja de la piel.

—¿Qué, pes?

—La pisada de taita macho. ¡Carishina!

—No aplaste, mama señora. Me duele.

—Te puso el casco en la raja guarmisha.

—No era casco.

—Rabo sería pes, entonces.

—Sí. Pero deje no más.

—Clarito se ve, clarito se huele. Hediondo de candela, hediondo de pecado.

—Ay... Ay... Ay...

—Pobre longa carishina.

—Acaso yo...

—Desgraciarse con el ricurishca.

—No era.

—¿Entonces quién, pes?

—Amo patrón, su mercé, parecía.

—¡Mentirosa! —chilló la cocinera como si le hubieran pinchado en lo neurálgico de una incurable llaga.

—Síiii.

—Eso no se dice, longa condenada.

—Por Taita Dios, mama señora.

—El diablo a sí mismo se viste para engañar a las pobres guarmis.

—¡Ave María!

—Así mismo es. Yo... —quiso proseguir la vieja, ahogándose en recuerdos inoportunos.

—Mamitica. Vi al patrón. ¡Al patrón, su mercé!

—¡Calla, bruta! Yo también vi cuando era doncella como vos. Y por andar diciendo semejante sacrilegio el mismo diablo vestido del amo de ese entonces se llevó a mi hijo por la boca del horno. Boca con llamas de infierno. Mi guagua...

El recuerdo transformó a la vieja. Toda su epilepsia de bruja se puso chirle como trapo mojado. De sus párpados asquerosos y encendidos chorrearon sin control las lágrimas. Crispó en el pecho sus manos sarmentosas.

—No se ponga ñagüi, mama señora.

El reflejo oscilante de la lumbre que se abatía y se agigantaba en el fogón puso una pausa de dolor grotesco en cada una de las mujeres. La longa, surgiendo de su sorpresa atada por temores ancestrales, murmuró a media voz:

—Parecía taita diablo mismo. Envuelto en humo de neblina, con candela en los ojos, con garras de pájaro grande en las manos, con fuerza de guagra remontado, con rabo caliente, risurishca.

—¡Taita diablo era!

Lo irremediable sembró un silencio torpe. La longa Juana abrió como de costumbre la puerta de la cocina y se hundió en la oscuridad. Al entrar en el tugurio del galpón donde se tendía a dormir sintió algo pesado en el alma, algo asfixiante que le forzaba a gritar sin motivo, que le mantuvo con los ojos abiertos, clavados en el recuerdo. «Taita diablo colorado en forma de patrón, su mercé», se dijo más de una vez. Los acontecimientos y las figuras de la desgracia se

sucedieron en el telón supersticioso de su intimidad:
el hombre entre chaparros y neblina como una mancha oscura, la falta de coraje para defenderse del
rabo caliente ricurishca, el vértigo tibio de la carishinería.

—Taita diablo mismo era. Igualitico... —murmuró
con automatismo y misterio que transformaban la
realidad en su conciencia. ¿Por qué sigue apareciendo, fantasmal y huidizo, en lo más oscuro de las noches? ¿Por qué no habla? ¿Por qué no se aleja una
vez saciado? ¿Por qué?

—Taita blanco. ¡Taita patrón blanco mismo!

Celosa y resentida logró romper su angustia, y, a
tientas, atrancó la puerta de su tugurio con cuanto la
oscuridad puso a su alcance, mientras repetía, presa
de ingenuo despecho y de llanto inopinado:

—No has de volver al ricurishca, taita diablo de
rabo colorado. No has de volver a cainar en barriga
de longa. No has de volver a montar como en cosa
propia, como en ashco sin dueño. Taita diablo, bandido. Shungo negro.

Ebria de quejas y de lágrimas se tendió de nuevo
en el jergón. Quizá esperaba que taita diablo colorado
sufra, grite, llore ante la puerta imposible. ¡Ah! Entonces ella diría... ¿Qué? Su timidez... Su temor... El
viento y el pulso de la noche golpearon en el silencio.

—¡Jesús, taita diablo! —murmuró la muchacha per-
diendo el control de sus juramentos y de sus venganzas.

Por desgracia nada turbó la calma de la hora. El
viento pasó de largo y el croar de las ranas y el canto
de los grillos dejaron caer los segundos a un ritmo de
eternidad y de fiebre. Por extraño capricho la longa
quitó de pronto todas las trancas de la puerta y esperó atenta y tendida en bruces. Nadie llegó esa noche.

—¿Quierdé, pes? ¿Quierdé, pes, taita diablo ricurishca? —se interrogó desesperada por la ausencia de...

Al enterarse el mayordomo —olfato de perro rastreador— de la verdad que encerraban las murmuraciones de la servidumbre sobre los aparecidos, un extraño sentimiento surgió en él. Hubiera deseado controlar aquello. Deploró por su tardanza en el ejercicio

de una alcahuetería discreta con las gentes de su clase. Alguna guambrita del pueblo. Pero una tarde descubrió que podía y debía invitar a donde las Cumba.

—Para el domingo, si su mercé quiere, le puedo no más llevar. Chicha de jora, treintaiuno, empanadas, tortillas, preparan. Bien se pasa. Un ají de cuy y un puerco hornado de chuparse los dedos.

—¿Dónde viven?

—En el carretero, pes. A la entrada del pueblo. A una media horita desde aquí. La menor es buena moza. ¡Púchica, que es de lo que no hay! Pero es bandida la guambra. Los gallazos de las haciendas de por aquí cerca no han podido hacerle el favor.

—¿El favor?

—Desgraciarle la virginidad, pes. Segura es. En cambio las otras se han dejado no más llenar de guaguas. De uno, de otro. Pero han sacado buena plata. La casa, el negocio, todo lo que tienen para vivir, pes —informó Isidro, tratando de defender la trayectoria licenciosa de sus amigas—. Luego continuó:

—¿Qué hubieran hecho las pobres solas en el mundo? Sin taita. ¿Quién también sería, pes? La mama dizque murió al parir a la última. Yo siempre digo: «Cada uno se agarra con la uña que tiene o con la uña que le dejan.»

A media tarde de un domingo Gabriel y su mayordomo llegaron frente a una casa baja que se acurrucaba a la entrada del pueblo, a la orilla de carretero. Isidro, desmontándose precipitadamente de su mula, gritó:

—¡Ya estamos aquí! Prepárense no más, guambritas.

«Deben ser hembras con un poco de dinero», se dijo el flamante latifundista mientras observaba la fachada de la vivienda de típica arquitectura pueblerina: tejado lleno de siemprevivas y cruz de pararrayo, paredes de leproso y desigual enlucido, corredor abierto al camino con poyo de adobes, puertas renegridas de hollín, ventanucas sin gracia, piso de ladrillo, olores a mondongo, a boñiga, a trapo sucio, a humo de leña tierna.

A las voces del mayordomo apareció en el corredor una chola de follón. Al ver a Gabriel Quintana sonrió en forma esquiva y se limpió las palmas de las manos en las caderas, subrayando una especie de inquietud delatora de alegría y de temor por el forastero. No era muy joven. Su silueta se ensanchaba en la ancas y en los hombros, y sus lujos de domingo, chillones y mal planchados, despedían un olor a ropa guardada en baúl de cuero. Usaba sombrero de hombre de ala gacha, trenzas anudadas con cordones de pabilo, blusa suelta como cotona de indio, pero de raso manteca, con encajes, follón de bayeta oscura, alpargatas.

—Esta es, pes, la María. La que hace como de mama. Mama Mariquita le dice todo el mundo.

—Así es, señor —confirmó la chola con sonrisa apetitosa y humilde.

Luego asomó Isabel —esperanza matrimonial de Isidro—. A primera vista guardaba mucha similitud con mama Mariquita: facciones, atavíos, maneras, olores. Pero al fijarse detenidamente surgían diferencias. Lenta transformación hacia el tipo cholo, hacia el tipo que se aleja del indio. Cintas en las trenzas en vez de cordones, pañolón suelto sobre los hombros, zapatos de taco bajo, blusa agarrada en la cintura, follón de bayetilla. Con remilgos de pájaro asustado invitó al noble visitante a entrar en el cuarto, cuya puerta se abría en la pared del fondo.

—Por aquí. Pase usted primero, señor. Pase, pes, don Isidro.

—Dios so'lo pay, bonitica. ¿Y qué es, pes, de las otras chiquillas? —indagó el mayordomo.

—Ya mismito salen.

Lo penumbroso del recinto, lo ingenuo de los adornos de las paredes, lo acechador de los rincones, lo duro del asiento, lo acholado de las mujeres, lo indefinido del ambiente —ruidos y olores entrando por puertas y ventanas—, inquietaron de desilusión a Gabriel. «¡Carajo! Prefiero la longa», se dijo. Mas, al aparecer las dos hermanas jóvenes —Rosa y Salomé—, cambió de idea.

—Estas son las menores.

—¡Oh!

—No le dije...

—Bien. Bien... —cortó Gabriel sin resolverse a la galantería que insinuaba a todo trapo el cholo alcahuete.

Las dos hembras miraron de reojo al propietario de la Providencia, y, como si esperasen órdenes, se sentaron junto a Isidro. En Rosa Cumba la transformación hacia el tipo cholo se acentuaba en la tela que sustituía a la bayeta del follón, en los fustanes que sustituían a los debajeros, en las peinetas, en las horquillas y en los lazos que sustituían a los nudos de los cordones. Además se adornaba con gargantillas de corales, con anillos de acero contra el hechizo, con aretes de piedras falsas. Salomé en cambio —pesadilla del apetito sexual de los «gallazos de las haciendas de la comarca», según el decir del mayordomo—, no contenta con todos los progresos de su hermana, subrayaba con exagerado gusto las modas de las señoras y señoritas que de tarde en tarde pasaban por el pueblo a venerar en los latifundios. Se ondeaba el pelo con clavo caliente, se echaba crema y polvos a la cara e iba a misa con mantilla y zapatos de taco alto. Felizmente, su juventud de formas apetitosas en los labios, en los hombros, en los senos, en las caderas, diluía lo chillón e ingenuo de cuanto trapo y adorno adoptaba para su compostura. Cuando Gabriel se acercó a ella y le observó con impertinencia ciudadana, la muchacha bajó la vista con ese rubor que unía en una misma actitud a las hermanas Cumba.

Los escrúpulos se prolongaron hasta la hora del aguardiente, de los picantes con ají, de la chicha. Exaltado por extraña generosidad —primera sorpresa de su flamante arquitectura latifundista—, Gabriel advirtió:

—Yo pago todo.

—El traguito y la cerveza, bueno; pero la chicha y los picantes, cómo pes... —objetó, zalamera, la mayor de las hermanas.

Al calor de una confianza creciente Salomé —artista de la música popular— rasgó en la vihuela un sanjuanito quejoso y sentimental.

—Hábil es la guambra —comentó Isidro después de beberse un vaso de cerveza.

—Hábil —repitió Gabriel con sonrisa que descubría sus ocultas esperanzas. Y, sin más preámbulos, se acomodó emocionado junto a la artista. Desde entonces María, Isabel, Rosa e Isidro, con cualquier pretexto, o sin él, procuraban evaporarse y dejar a solas a la pareja. A la pareja que, entre sanjuanitos, bromas, olores a chicha, perfume de aguardiente, inició el regateo amoroso:

—¡Ahora que la pena crece!

—No he de ser tonta, pes.

—¡Así, guambrita linda!

—Hasta pasar el río.

—¡Toditico te he de dar!

—No así. ¿Me ha creído de gobierno? ¿Me ha creído

pila de agua bendita?

—Unito no más. Un pellizquito.

—¿Qué es, pes, el señor?

—Unito.

—Goloso... Ji... Ji... Ji...

Con la noche llegó para Gabriel la borrachera, y con la borrachera, la audacia. Despachó cínicamente a Isidro, recomendándole consiga dinero para el chuchaqui del siguiente día. Pero al despedirse el cholo mayordomo habló en voz baja con las hermanas Cumba.

—Que se tome un aguadito primero. La del estribo. El pobre... —propuso mama Mariquita suplicando el permiso al flamante latifundista.

—Bueno, carajo. Que se tome.

—Que nos tomemos —afirmaron en coro las mujeres.

El aguadito —inofensivo para todos— llegó para Gabriel mezclado con chinguero —jugo de hojas de llantén y adormidera— Y a la hora que el señor de la ciudad y del campo quiso imponer su autoridad, su apetito, se halló como un trapo flojo, como un niño emperrado y llorón. Las cholas, en algazara burlona, le arrastraron hasta el dormitorio —cuarto lleno de altarcitos y catres— y le acostaron en una cama.

Clavado en la borrachera más estúpida de su vida, y a través de manchas pardas que se agigantaban y se abatían ante los ojos —muy abiertos unas veces, entornados otras—, Gabriel alcanzó a distinguir siluetas semidesnudas que se burlaban de él y se buscaban las pulgas bajo la camisa, por el pecho, por las tetas, por la barriga, por las nalgas.

II

YATUNYURA Y GUAGRALOMA

Cuando la longa Juana logró convencerse —a la sombra del recuerdo que le dejaron las afirmaciones de la vieja cocinera— de que había sido atropellada por taita diablo colorado, una inmensa desolación, una urgente necesidad de clamar entendimiento para su cuerpo ardoroso y dolorido, se le aferró en el alma con algo de placer y con algo de amargura. Huía de la casa, y, por rara contradicción, vagaba por los chaparros de la ladera donde el rabo ricurishca le hizo mujer. Una mañana, muy parecida a la de su desgracia, volvió a sentir la presencia de alguien... Un demonio esquivo, burlón, escurridizo. No se presentaba atronador y violento como el otro. Se escondía entre la bruma, entre los matorrales, en las heridas de la tierra, obligándole a pensar: «¿Qué diablo será tan guarmisha que no viene, que no se acerca, que no embiste como toro bravo? ¿Blanco será? ¿Negro será? ¿Grande será? ¿Shunsho será? ¿Qué también será, pes, taitiquito?» Pero una tarde cayó junto a la muchacha la piedrecilla que supo darle la pista. Por la penumbra del follaje, esperando a una bandada de pájaros, divisó la silueta fugaz de un indio. «Ave María, taita yatunyura parece», pensó la longa por los detalles de la indumentaria del fugitivo: poncho negro, sombrero de blanco prieto, calzón ancho de liencillo sucio.

—Runa pícaro. Tirando terrones a la pobre guarmi sin dar ningún motivo. ¿Carishina seré, pes? —continuó a media voz la hembra fingiendo enojo. Enojo que le ardió dulcemente en la sangre con altanera advertencia: «Ricurishca de taita runa, atatay... Atatay mismo es, pes.»

El asedio de taita diablo runa curó en parte la dolorosa memoria que dejó en ella el taita diablo blanco ricurishca. Y una tarde el tímido galán, sin ningún aviso, apareció tras de un recodo. Se acercó a la mujer como si estuviera borracho y le dio de empellones con sadismo juguetón y primitivo —afán por aplacar la felicidad que ardía en su deseo lleno de rubores.

—¡Bandido! —gritó entonces la longa defendiéndose y devolviendo los golpes. Al final del encuentro, y en el remanso de un entendimiento de risas y medias palabras ella supo que él se llamaba Pablo Tixi, que tenía una parcela en la comuna de Yatunyura, donde vivía, solo, en la choza que le dejaron los taitas al morir. Supo que le había seguido desde hace algunas semanas y que quería amañarse con ella.

Entretanto, Gabriel, gracias al trabajo silencioso del ambiente, se sentía como transformado. Una omnipotencia con ribetes de Taita Dios se le aferraba día a día como emplasto para curar remordimientos y justificar errores. Olvidó a la longa Juana y se dejó arrastrar por las esperanzas y mimos de las hermanas Cumba.

La intriga y la voracidad del cholo mayordomo cambiaron y precipitaron los acontecimientos. Adulón y quejumbroso, anunció una tarde:

—Se han robado diez cabezas de ganado, patrón. Las mejorcitas.

—No puede ser.

—Hace cuatro días hemos contado y recontado con el escribiente, con los chacracamas, con los cuentayos, con todos mismos, pes. Su mercé ordenó que teníamos que apuntar y ayer aparecen menos de lo que está en el libro que lleva el amigo Víctor Simbaña.

—Que busquen. A lo mejor...

—Ya hemos buscado. Hemos contado también. Sólo trescientas...

—¿Trescientas?

—Sí, pes. Las que hay. Eso mismo quedó apuntado

a la muerte de patrón Manuelito. Usted mismo vio. Trescientas diez decía clarito.

—¿Y los animales del páramo? Una fortuna afirmaba mi suegro.

—¿Una fortuna? ¡Adefesio! —chilló Isidro, cambiando de color.

—¿Cómo?

—Serán unas treinta o cuarenta cabezas remontadas. Uuu... Y para ir al rodeo se necesita tres o cuatro días enteríticos. Si su mercé quiere podemos trepar al páramo. Esperando el buen tiempo. En invierno ni Taita Dios, pes.

—Bueno. ¿Y ahora qué hacemos con la pérdida?

—Como eso está a mi cargo venía a suplicar a su mercé que me acompañe a los huasipungos a tirarles la lengua a los indios. Todos dicen que le han visto merodeando por estos lados al cholo Ramón Guachi.

—¿Y eso?

—Un famoso ladrón de ganado, pes. Claritas están las huellas. Venga no más.

De mala gana Gabriel acompañó al mayordomo por chaquiñanes y caminos imposibles.

—¿Cómo pueden vivir en estos despeñaderos para cabras? —se lamentó el flamante latifundista cuando tuvieron que dejar las mulas y seguir a pie por el chúcaro sendero de una loma.

—¿Y qué más se les puede dar a los runas bandidos? Las tierras buenas son para la hacienda —afirmó Isidro mirando de reojo con placer de venganza inexplicable— los apuros de Gabriel al trepar la ladera.

Muy cerca de la cima un perro lanudo, sucio y diminuto —ashco de huasipungo—, trató de cortar el paso a los visitantes con ladridos lastimeros. Impasible el mayordomo envolvió el atrevimiento de la bestezuela en un sonoro latigazo. Saltó luego como un demonio la cerca que guardaba el huasipungo.

—¡No se muevan, indios carajos! —chilló avanzando hacia la choza. A pesar de la advertencia muchachos y longas que se hallaban en el patio corrieron atontados de un lado para otro hasta refugiarse en la sórdida vivienda.

—¿Qué esconden, carajo? —insistió el cholo poniéndose de dos trancos sobre el espanto de la familia. Al penetrar en la penumbra asfixiante del tugurio hizo una pausa, al cabo de la cual, y en contacto con

gentes aterradas e inmóviles que se dibujaban poco
a poco en la oscuridad, volvió a gritar restallando el
látigo que colgaba de su diestra:

—¿Qué esconden he dicho, carajo?

—Nada, pes, patroncito —respondió una mujer, la
más vieja, en tono de amargo rezongar.

—¿Cómo que nada? ¡Yo he visto!

—¿Qué, pes?

—Háganse los pendejos —continuó Isidro apartando a patadas y latigazos los objetos, que rodaban por
el suelo y los rincones.

—No, pes, así.

—Una pala para remover esto —ordenó el cholo al
tropezar con un montón de leña, hierba para cuy y
boñigas secas.

Las mujeres y los muchachos, por toda respuesta,
se lanzaron a los pies del mayordomo con súplicas y
gruñidos de animal asustado.

—¡Ajajá!

—No, taitiquito.

—¿Dónde está?

—No, shunguitico.

—¡Quiero ver, carajo!

—No...

—¡Quiero ver qué esconden, mierdas!

Con diabólica satisfacción el cholo apartó de sus
pies los ruegos de las indias y de los pequeños, quitó
las leñas, esparció las hierbas, escarbó con las manos
las boñigas. Entre un semillero de gusanos blancos
y diminutos que se retorcían en la humedad verdosa
y fétida de todo aquello asomó la cara de un indio
viejo —vejez centenaria— que al sentirse descubierto
se arrugó en una mueca de angustia sin palabras,
mientras las mujeres y los muchachos hablaban
por él:

—Taita enfermo no más es.

—Enfermo, patroncito.

—No ve bien.

—Ni oye siquiera.

—¿Cómo para que trabaje, pes?

—Runa vago. Cainando aquí en vez de ir a des-
quitar la deuda. Hace más de veinte años —reprochó
el mayordomo con sorpresa de quien halla algo que
perdió de vista.

—No es bueno ser tan malo, taitico.

—Tan duro de shungo, bonitico.

—Después de que... Tierra, socorros, suplidos...

¡Que salga, carajo!

—No puedo, patroncito.

—Ha de morir no más.

—Por Taita Dios... Por Mama Virgen...

—Bueno. Si me declaran francamente quién se robó las diez reses de la hacienda no le llevo al viejo a trabajar en el páramo.

—¡Ave María!

—Eso ca...

—¡Que salga entonces, carajo! ¡Que salga ya mismito! —chilló Isidro deseoso de ventilar el asunto al aire libre ante el flamante latifundista, que esperaba cerca de la puerta de la choza.

—¿Cómo, pes?

—¡Taitiquito...! ¡Bonitico...!

—¡Ahora verán, carajo! —concluyó impaciente el cholo agarrando como pudo al viejo y arrastrándole hasta el patio del huasipungo.

—¡No así, pes!

—Como ashco sin dueño.

—Por vida de su mercé.

—Lástima de taitico.

—Taita de siempre.

—¡Ahora me declaran, carajo!

—¿Qué, pes?

—Entre ustedes se cuentan todo. ¿Quién se robó las reses de la hacienda? ¿Quién?

—Acaso nosotros...

—Acaso hemos visto.

—Me dicen o cargan los diablos con el viejo —chilló el mayordomo azotando al anciano con toda la furia que exaltaba su morboso deseo de deslumbrar al patrón hasta identificarse con él.

—Un ratico.

—Espere no más, su mercé.

—¿Quién?

—Ayer cuando pasamos por el huasipungo de los Chiluisa de Yaguarpeña olimos, pes, a charqui asado.

—Ajajá.

—Y cómo un pobre natural de dónde para tener, pes... Nosotros pensamos...

Con aquella pista amo y mayordomo se lanzaron en busca de los sospechosos. Los Chiluisa: padre, madre, dos muchachos y tres indias con cría negaron cínicamente. El mayordomo, más ágil y feroz que de ordinario, removió la choza y extrajo de un rincón los restos del cuerpo del delito. El acial silbó entonces implacable, confundiéndose y enredándose con el alarido de los críos, con el llanto angustioso de las mujeres, con el ladrar asustado de los perros.

—Taitico, su mercé.

—El Ramón Guachi mismo nos dio.

—¡El...! ¡El...!

—En tierra colorada despostó las reses.

—Cinco vimos enteriticas.

—¡Diez! ¡Diez deben haber visto!

—¡Ave María! Cinco no más eran.

—¡Diez!

—Como su mercé diga.

—¿Quién más agarró la carne? —cortó el cholo.

—Taita Guano del Alto.

—¿Quién más?

—Las guarmis del Chiliquinga.

—¿Quién más?

—El Condorazo del bosque.

—¿Quién más?

—Las hermanas del Mataxi.

—Ve lo que le dije, patrón. ¿Cuánto repartió a cada uno?

—Una librita sería... Dos sería...

—Si no dicen la verdad les cuelgo del trapiche. ¿Cuántas, carajo?

—Ponga no más lo que su mercé crea.

Los exagerados cálculos del mayordomo no lograron cubrir el valor de dos reses. Y cuando volvían al anochecer por el camino del valle, agobiado por el fracaso, el cholo anunció:

—Falta mismo, su mercé.

—El ladrón no puede obsequiar todo lo que roba.

—Así mismo es. Tengo que buscarle donde sea al cholo bandido. Sacarle del alma el resto de la carne —concluyó Isidro disfrazando sus temores con machismo encendido en las pupilas.

Gabriel, en cambio, cansado de tanta mezquindad y de su silencio impasible ante el atropello del cual fue testigo, gritó:

—¡Ya veremos, carajo!

A los pocos días —por huasicamas y servicias— Isidro supo que alguien rondaba durante la noche por el trapiche y los galpones, alguien que no era el alma en pena de la longa Juana, alguien que podía ser...

—El cholo Ramón Guachi —afirmó misteriosamente el mayordomo a Gabriel.

—¿Aquí?

—Será por los terneros que quedan para el ordeño. Será por los borregos. Será por las gallinas. ¿Por qué también será, pes? Ya di orden a la gente para que se ponga al aguayte.

A la tarde, a favor de la garúa, del crepúsculo, y en silencioso ir y venir por el trapiche, por los matorrales de las zanjas próximas, por los recodos, por los tumores y abras de la tierra, se acomodaron indios y longos pesquisas.

De pronto, en medio de la noche ciega y ronca —el río, el viento en el follaje, los ladridos lejanos, las ranas y los grillos—, como una pincelada que afiebró el pulso de la hora, surgieron extrañas pisadas besando con cautela los charcos y el lodo del sendero que rodeaba al redil.

—Ya viene —anunció alguien en voz baja al oído de quien se hallaba alerta.

—El bandido. El ladrón. ¡Le trincamos, carajo! —dijo Isidro temblando de ansiedad, agazapado junto a la hamaca del amo.

—Silencio.

—Se acerca —continuó el cholo en voz baja.

—Sí, pero...

—Se acerca, carajo... —insistió el mayordo avanzando en medio de la oscuridad.

Huyeron las misteriosas pisadas. En pos de ellas se lanzaron los perseguidores.

—Suelten los perros —ordenó Gabriel desde el corredor.

—Saquen una leña encendida —propuso alguien.

—¡Una leña!

—¡Dos! ¡Para mí también!

—¡Ya mismito!

En la faz tenebrosa de la noche campesina crecieron las voces, el ladrido de los perros, se enredó el parpadear rojizo de las candelas

—Por aquí.

—¿Por dónde, pes, carajo?

—Calladito no más tenemos que correr.

—Calladito.

—Venga por este lado.

—Por la quebrada.

—Cuidado los huecos.

—¡Ave María, los espinos, el lodo!

—¿Por dónde van?

—¡Por aquí!

—Por el lado del río.
—Huye el bandido como diablo.
—Traigan la luz, carajo.
—La candela para ver las pisadas.
—Por aquí...
—¡Aquí está clarito!
—¡Clarito!
—Como es la pisada es el animal.
—Así mismo es.
—Dios favorezca; pata de natural ha sido.
—¿De natural? Veremos...
—Pata pelada.
—De runa mayor.
—No es pata de cholo.
—De cholo de zapatos.
—De cholo de alpargatas.
—¡Es pata de longo! —terminó Isidro Cari con mal humor y sorpresa al observar, a la luz de un leño encendido, la marca de una pisada en el barro.

El fugitivo, que no era ningún cholo guachi, que era Pablo Tixi, el cual había llegado hasta los galpones en busca de Juana, con quien se amañaba desde hacía tres noches, al oír los gritos inopinados de las gentes huyó por la quebrada más próxima. Con angustia en la sangre, con el corazón apretado en la garganta y lleno de una ansiedad de súplica, pensó que podía vadear el río para refugiarse en su Yatunyura —donde nunca llegaron ni cholos ni blancos—. Desgraciadamente, todo le fue inútil; de los rincones, de los matorrales, de las cunetas, de los pliegues de la tierra, del seno de la noche, surgieron cual fantasmas implacables perseguidores, voces de amenaza. Y a los pocos momentos y sin saber cómo:

—¡Aquí está el runa ladrón!
—¡Ave María!
—¡Aquí!
—Dale con la leña.
—Quémenle las manos con la candela, pes.
—Para que no sea mañoso.
—¡Mañoso!
—Hay que llevarle primero donde el patrón.
—Donde el patrón.
—Cierto.
—Ciertito.

Cuando llegaron a la casa de la hacienda las gentes con el fugitivo, Gabriel, sin ánimo para borrar de un manotazo la pesadilla que le circundaba, vio a la luz de dos candiles a un hombre amarrado las manos a la espalda: la cabeza baja, sin sombrero, jadeando como un perro.

—Por el poncho parece indio de la comunidad de Yatunyura —informó Isidro al entregar a Gabriel, con insistencia melosa de rito ineludible en tales casos, el látigo de tres correas.

—Algún adelantado del cholo Guachi para seguir robando. ¡Que declare! —continuó el mayordomo.

Como aquel artefacto de tortura le quemaba en las manos, excitando la ira de los dedos, Gabriel, al impulso de raro sentimiento —expresión casi hipnótica— se puso de pie y flageló al indefenso. Avergonzado de su cobardía, de su vileza, hizo una pausa de idiota revisión a las caras que le rodeaban, a los seres sudorosos de miedo que le miraban de reojo. Su angustia, su desorientación, quizá buscaba un reproche, un gesto de asco y rebeldía donde poder estrellar su cólera. Por desgracia sólo halló una beatífica sumisión en todas las pupilas, una urgencia por aprobar y venerar el milagro del Santo —Santo del látigo de tres correas—.

—¡Carajo! —exclamó Gabriel en arrebato de extraño desprecio. ¿Por qué tenía que participar en esa comedia de crueldad, de injusticia? ¿Por qué debía ser él? Inmóvil, con el látigo en alto, petrificada la furia en los labios, no pudo actuar.

Isidro, que tomó por temor la pausa del flamante latifundista, intervino feroz:

—¡Este! ¡Este es el indio ladrón! ¡Debe declarar! ¡Castíguele no más!

—Yo... —murmuró Gabriel en tono de disculpa y de reproche.

—¿Dónde están las reses, indio bandido? ¿Dónde? ¿Dónde está el Guachi? —gritó el mayordomo sustituyendo al patrón.

—¿Dónde? —repitió el yatunyura como un eco sordo, inconsciente.

—Si no declaras ya mismito te cuelgo de un árbol en el monte para que te coman los buitres.

—Taitico...

—¡Habla, carajo!

—Patroncito...

—¿No declaras? ¡Luego es cierto! ¿Dónde mataron las reses? ¿Dónde está el Guachi?

—Su mercé...

—Te haces el pendejo. Así son estos roscas.

—Taitico...

En el colmo de la desesperación, ante lo inútil de sus preguntas, el cholo mayordomo, sin consultar a nadie, dio de patadas al prisionero y le echó un lazo al cuello mientras amenazaba:

—Ahora verás, carajo, quién soy yo.

—Patroncito...

—¡Quién es el Isidro Cari!

—Su mercé...

—Si no me declaras te mato como a perro manavali ladrón de choclos en sembrado.

—Taitico...

—¡Declara, carajo! —chilló el mayordomo ajustando la cuerda como para terminar con el indio.

La longa Juana, que hasta entonces había permanecido silenciosa y confundida entre las gentes que alumbraban la escena, surgió llorando, en drama de súplica muda. Obsesionado Isidro por sus pesquisas apartó bruscamente a la muchacha con insultos y reproches:

—¡Perra sucia! ¿Vos también, no? Tendré que colgarles a ambos para que declaren toditico. ¡Conmigo se han puesto, carajo!

Al impulso de una sospecha grata, de una sospecha que podía liquidar sus pequeños escrúpulos de conciencia sobre la preñez notoria a esas alturas de la servicia, Gabriel trató de intervenir —todo se aclaró y se solucionó en él—, pero el yatunyura, rompiendo su actitud de impasible queja, suplicó casi en un grito:

—¡No! ¡No, taiticos! ¡A mi pobre guarni, no!

—¿Cómo? ¿Mi pobre guarni?

—Sí, taitico.

—Carajo. Nos han estado haciendo pendejos, pes. Nos han estado haciendo cargar el arpa. Amañándose aquí mismo, en nuestras barbas —opinó el mayordomo e hizo una pausa para consultar al patrón.

—En nuestras barbas —repitió Gabriel fingiendo inocencia ante la mirada curiosa y un tanto altanera de Isidro.

La longa Juana, limpiándose los mocos y las lágrimas en la tupushina, se acercó entonces de nuevo al indio prisionero, y, aferrándose a él, se puso a gimotear. Las gentes que observaban comentaron a su vez:

—No han sido los shuguas.

—No han sido nada.

—Amañándose no más han estado.

—Amañándose.
—Pobre runa.
—Pobre longa.
—¿Amañándose? ¿Y qué es eso? —interrogó Gabriel.
—Los indios, como son unos animales, tienen la mala costumbre de vivir amancebados una temporada antes de casarse, antes de que el señor cura les eche la bendición, antes de que el teniente político les apunte en el libro.
—Aaah.
—Bien notaba yo algo raro en la longa.
—¿Algo raro?
—Sí, patrón.
—Y ahora, ¿qué podemos hacer?
—Depende de su mercé, pes. Si quiere dar a la longa en matrimonio al yatunyura le da no más. Todo se arregla facilito.
—Por mí... Desde luego —concluyó Gabriel respirando con deleite que delataba parte de su enorme satisfacción.
—Tenemos entonces que encerrar no más a la pareja en el trapiche hasta mañana.
—¿Y...?
—Mañana, si su mercé quiere, les llevamos al pueblo, donde el teniente político y donde el señor cura.
—Bien... Muy bien... —alcanzó a murmurar el flamante latifundista antes de retirarse a su habitación.
El mayordomo y los huasicamas encerraron a los enamorados mientras la tropa de indios e indias que llegaron para la cacería del ladrón de ganado se deshilaba en las tinieblas de la noche campesina, comentando:
—Amañándose en casa grande.
—Junto al patrón.
—Ave María.
—Longo atrevido.
—Longa sin conciencia.
—El ricurishca..
—Taita diablo colorado.
—Preñada parece.
—Preñada.
—Si no fuera por el Isidro...
—Y por el patrón, que es tan bueno.
—Les casará mañana.
—El guagua no será del viento.
—No será huairapamushca.
—Huairapamushca.

Al amanecer del siguiente día —serenidad de cielo
de ópalo, escarcha olor a musgo en los chaparros, ca-
ricia de páramo en el aire, lodo resbaloso por caminos y chaquiñanes—, amo y mayordomo —caballero
en alto y gordo corcel el uno, a lomo de mula pequeña nerviosa el otro— salieron de la hacienda hacia
el pueblo. Un poco a retaguardia, bajo la custodia
de cuatro hausicamas, los novios —atadas las manos
como criminales— tomaron a pie el mismo sendero.
Casi a mitad del viaje, Gabriel —le inquietaban las
posibles murmuraciones de los latifundistas de la comarca si la providencial solución de su problema con
la longa Juana trascendía hasta ellos— rompió el
silencio:

—¿De qué hacienda es el indio que llevamos?

—De ninguna, patrón.

—¿Cómo?

—Acaso todos los naturales son de huasipungo. Hay
también diferencias entre ellos. Unos... Los que tienen tierras y hacen comercio. Eso de verles. Mandan
a los guaguas a la escuela, los domingos van a misa
con calzón de casinete y poncho de bayeta de Castilla.
Se creen señores.

—Señores cholos —afirmó Gabriel, en tono burlón.

—En los runas mayores el cambio es lento y la voz
les traiciona. No pueden dejar ese algo, pes. Pero en
los guambras, ¡púchica! Hasta doctores quieren ser.

—Indios amayorados.

—Es que su mercé sólo conoce los de huasipungo.
Esos son los más jodidos, los más pobres, los más nu-
merosos, los que viven clavados en el pedazo de tierra que les presta el patrón hasta que desquiten la
deuda que adquirieron los taitas o los abuelos. Toda
la vida, pes. Dicen que antes se llamaban conciertos y
eran propiedad del fundo, como las reses, como los
árboles, como los espinos, como las peñas, como todo
mismo.

—¿Y este que llevamos ahora?

—De Yatunyura es.

—¿De Yatunyura?

—Un retazo de ladera al otro lado del río.

—Aaah.

—No abandonan por nada del mundo ese rincón del monte. Desde siempre, dicen.

—Una comunidad.

—Comunidad le llaman, parcialidad también. Las chozas son igualitas a las de los huasipungos. Se visten un poco diferente. No le vio al de la longa Juana: ancho calzón de liencillo, largo poncho azul, sombrero de lana, pelo corto como melena de guarni. Eso sí: cada familia tiene un buen lotecito con nombre característico. Además tienen los terrenos que utilizan en común para los pastos, para recoger la leña, para todo mismo. Cuando alguien cae por desgracia en este lado, cristiano o animal que sea, está jodido.

—¿Le matan?

—Así dicen, patrón.

—Alma bendita, patrón Manuelito les hizo dar bala hasta en la lengua, pes —informó el cholo saboreando esa venganza extraña con la cual él creía alejarse de su raíz esclava, de su sangre india.

—¿Sí?

—No querían salir del potrero donde ahora está la talenquera para encerrar el ganado. Un tinterillo que venía con frecuencia de la capital tuvo la culpa. Les había hecho creer algo de una concesión que les dejó taita Rey Inca... Taita Rey de España, también decían...

—Aaah.

—Todo para sacarles la plata. Dos sucres a cada rosca cobraba por escrito. Y son más de quinientos.

—Estos chagras dueños de la ley son una calamidad. Doctores...

—No era doctor. Tinterillo no más era. Del pueblo de Pinuco. Los papeles que les hizo presentar a los runas en el juicio un adefesio, una tontera. En cambio, alma bendita, los que presentó el patrón, títulos de cincuenta años atrás. Una maravilla con timbres, con papel sellado, con registros, con testigos, con firmas. El juez tuvo que ordenar el desalojo inmediato.

—¿Y qué hicieron los indios?

—¿Ya no le conté que hubo que darles bala hasta en la lengua? Dejaron arrasada la tierra, quemadas las chozas, los árboles, los sembrados.

—¿Y después?

—Se establecieron más arriba unos... Otros, más abajo... En las parcelas que habían abandonado por estériles los viejos yatunyuras. ¡Son unos jodidos!

—Entonces este que llevamos...

—Runa criminal.

—Conmigo se estaca.

—Ji... Ji... Ji...

Gabriel creyó hallar en la risa nerviosa del mayordomo una burla secreta, una burla que descontroló su naciente orgullo latifundista. No pudo disimular su indignación, y en tono áspero y omnipotente —sabor de veneno en la boca, náusea sobre su nuevo destino—, dijo:

—Yo... Yo hubiera dado bala a los indios y a los cholos.

—¿Qué cholos, pes? —interrogó el mayordomo arrugándose en un gesto de máscara inocente.

—A los que intervinieron.

—Uno o dos.

—A ésos. ¡A ésos! Los papeles, las escrituras, las firmas, los certificados, los sellos, es lo único que da derecho. Derecho a vivir... Derecho a morir... Sin eso no vale nada la tierra, la casa, el pan, los hijos, la mujer, uno mismo.

Isidro comprendió a tiempo que Gabriel le imponía silencio, que estaba nervioso. De buena gana hubiera insistido para ver si así dominaba al patrón desde el principio, obligándole a soltar algo de sus planes futuros, algo de... «El sabe quién soy», se dijo el cholo. Todo tenía que ser en ese instante humillación, sonrisa babosa. Un mayordomo no se ha hecho para las disputas con el amo de igual a igual. ¡Nooo! Comprendió que era prudente hacer una pausa y desviar la conversación:

—Vea su mercé. Vea no más. De aquí se domina todita la ladera de los yatunyuras.

—¿Dónde?

—Donde están las chozas, pes.

—Sí... Sí... —murmuró Gabriel hechizado por la quietud del paisaje que se extendía al otro lado del barranco.

—A estas horas de la mañana parece estampita.

«Estampita. Es una oleografía llena de contrastes, de saltos, de lodo, piedras y arena, de erosión y verdor, de ladera y bajío, de chaparro y potrero, de cabuyas erizadas y suavidad de grama y trébol», pensó el señor latifundista revisando los detalles del pequeño mundo de los yatunyuras, mientras Isidro a su vez hablaba orgulloso de:

—Nuestras propiedades están en esta orilla. Las propiedades de las gentes de Guagraloma. La mía es la última, patrón.

—¿La útima? —interrogó Gabriel como un eco sin importancia.

—¿Y se fijó su mercé en el árbol de los runas?

—No. ¿Dónde? ¿Qué árbol?

—Ese hermosote trepado en esa especie de muro que sube desde el hueco donde están las chozas. Ese muro como cresta de gallo cortado por el río.

—Sí. Ya veo —exclamó Gabriel contemplando con gran emoción la majestuosa silueta del árbol centenario.

—Yatunyura le llaman.

—¿Como los indios de la comunidad?

—En quichua quiere decir árbol no más.

—Ahora comprendo.

—Los runas toman para ellos el nombre de cualquier pendejada.

—¿Cómo es eso?

—De un monte, un pájaro, una laguna, un río.

—¿Y los cholos de dónde toman? —interrogó, burlón, el flamante latifundista.

—De... De donde Dios ayude, pes —respondió el mayordomo. Luego dijo evadiendo el terreno deleznable que se abría a sus pies:

—Lo curioso es que el árbol se agarra con las raíces del filo de la roca pelada, se agarra como si fuera animal, como si fuera cristiano.

—¿Sí?

—Treinta metros de precipicio hasta el agua tiene el corte. Y de ancho unos nueve será, pes. Nadie nota la abertura.

—Como una trampa.

—Dicen que el Huaira...

—¿Qué Huaira?

—El viento malo que persigue a los naturales. El viento malo que, sin saber cómo, deja preñadas a las hembras... A las hembras que les sorprende con la boca abierta frente al cerro... El viento malo que, cuando agarra a los runas en el páramo, les tuerce como bagazo. El viento malo que...

—Bueno. ¿Y qué pasó con el viento malo y nuestra historia?

—Dicen que el Huaira abrió la roca en el momento que unos indios, hombres, mujeres, guaguas, perseguidos por el hambre, trataban de cruzar el desfiladero en busca de esas tierras buenas donde él reinaba. Dicen también que el Yatunyura, indignado y compasivo, defendió a las gentes que pudieron abrazarse a él. Y que mordió con sus raíces al Huaira hasta convertirle en piedra. La piedra que todavía se ve envuelta en la maleza del barranco.

—Fantástico.

—Eso digo yo. Pero verá, patrón. Da respeto al observar cómo el tronco y las raíces prenden y agarran a la roca negra.

—Aaah.

—Respeto y miedo a la vez.

—¿Y cuál es el verdadero nombre del árbol?

—No tiene. Palo de monte, palo de runa le llaman. Nadie se ha preocupado en averiguar, pes.

—Yatunyura —repitió Gabriel dejando que prenda en su espíritu la superstición campesina con la ingenuidad que de niño le estremecían los cuentos de brujas y aparecidos.

—Los indios le temen y le adoran como a Taita Dios. Cuando ronca el huracán, cuando alumbra el rayo, cuando arrasa la creciente, cuando tiembla la tierra, le ofrecen sacrificios de animales. En tiempo antiguo dizque era peor.

—Me supongo.

—Sólo taita cura Alberto Tapia pudo medio cristianizarles.

—¿El párroco de ahora?

—No. Ya es muerto, alma bendita. Verá lo que dicen que hizo el santo varón. Como todos los domingos tenía que ir a decir misa cabalgando en algún runa experto en el vado.

—Podía entrar, entonces.

—Un ratito no más, pes.

—Sí. Comprendo.

—Después pura brujería los roscas.

—¿Y qué fue lo que hizo el sotanudo?

—Un día les llevó cuatro costales llenos de obsequios: gargantillas, cotonas, espejos, estampas, medallas. Y un bulto bien envuelto que nadie tomó en cuenta. Un bulto que le escondió entre los aperos de labranza que se arrinconaban en el galpón donde decía las misas. A la noche...

—¿Durmió entre los indios?

—Dicen que se hizo el enfermo, pes. Y a favor de la medianoche y del sueño pesado de los runas arrastró el fardo hasta el Yatunyura. Desempacó al tanteo una linda Mama Virgen y le puso entre las raíces del árbol. A los pocos días, ¡Jesús! ¡Ave María!

—Surgió el milagro.

—Dicen que aquello era el juicio. Los indios, gritando como locos por todos lados. «Taita Yatunyura cainando con Mama Virgen», «Taita Yatunyura ha parido una Mama Virgencita», «Como guagra y bishe han estado», «Como torre y choza», «Como montaña y piedra», «Que venga taita cura para que vea», «¡Que venga!, ¡que venga!», «¡Que vea!, ¡que vea!», «Taita Yatunyura y Mama Virgen».

—La aparición.

—¿Qué más quiso taita cura, pes? En seguidita, a punta de mingas, levantó la capilla. Cobró los diezmos y primicias a los runas, que nunca habían pagado.

—Negocio redondo.

—Y dicen que desde entonces todos le tuvieron por santo.

—Por santo.

—Al amparo de la noche, de la mentira, del engaño.

—De la clandestinidad.

—¡Eso! Sin firmas, sin papeles, sin sellos. Como los cholitos que aparecen no más en el caserío de la hacienda comentó Isidro saboreando dulce venganza.

Gabriel trató de contestar, pero en ese mismo momento él y su mayordomo se dieron cuenta que estaban frente a la casa de las hermanas Cumba.

—Todo está cerrado —afirmó el amo.

—Irían al pueblo. Domingo, pes.

—Sin duda.

—Apuremos, patrón. A lo peor no encontramos al teniente político. Taita cura ha de haber empezado ya la segunda misa. Y el matrimonio de los runas es cosa de preparar.

«El matrimonio de los runas... La longa Juana», repitió mentalmente Gabriel evocando con sádico placer las últimas escenas de su nueva vida, las escenas donde él —a veces sin querer, a veces con agrado, resbalaba— era actor, autor y dueño.

—Nosotros podemos apurarnos. Pero los indios...

—Acaso los runas se cansan. Voy lueguito a traerles. Tome no más la delantera, su mercé.

Tornó Isidro por el camino hasta dar con los huasicamas, que arreaban y vigilaban a los novios. En cuanto les tuvo a su alcance, gritó:

—¡Corran, carajo! ¡Corran!

Todos trataron de obedecer en la mejor forma. Se desplazó presurosa la tropa jadeante entre carajos y empujones. Uno, dos minutos. Luego... La queja leve y el paso cojo de la preñada apaciguó la marcha. Cual protesta uterina —clavada como cuchillo en el vientre..., la longa sintió una voz por boca de su sexo: «Ayayay, mama. Ayayay, mamitica».

—¡Corran, carajo! ¡Corran!

El temor puso de nuevo inquietud y apuro en huasicamas y novios. Ella, en respuesta a su urgencia y a su dolor, monologó entonces: «¡Jesús! ¡Ave María! Bonitica. Shunguitica. ¿Guagua de taita diablo blanco serás, pes? Por eso... Sólo por eso no me dejas caminar como es debido... Sólo por eso no me dejas obedecer a patrón mayordomo...»

—¡Corran, carajo! ¡Corran!

«Ayayay, mama. Ayayay, mamitica», insistió el pulso del feto inoportuno extendiéndose por todos los caminos de la sangre, de los músculos, de los nervios. No resistía más la hembra. Iba a caer envuelta en un morboso deseo de engañar a alguien. No al yatunyura.

—¡Corran, carajo! ¡Corran!

«Aguanta, guagua... Aguanta como runa que tiene que hacerse arishca...», suplicó mentalmente la longa. Mas —magia infernal— como en un espejo de brujas rebotó el pensamiento de la madre en la dolorosa rebeldía del nuevo ser: «Ayayay, mama. Ayayay, mamiticaaa... No... No soy guagua de runa yatunyura... Soy guagua de patrón, su mercé...

—¡Corran, carajo! ¡Corran!

«Que Taita Diosito me ampare. No seas malo, shungo de entraña de pecado. No seas malo con la pobre longa, tu mama... No digas así, guagüitico... El yatunyura me ha de matar no más, me ha de aplastar no más...», insistió la mujer ante sus propias inquietudes de implacable desnudez: «Atatay, runa yatunyura. ¿Para qué, pes? Como pobre ashco... Manavali... Ricurishca...

—¡Corran, carajo! ¡Corran!

«Con taita yatunyura tendremos que caminar toda la vida... Con pobre ashco tendremos que revolcarnos en el suelo pelado de la choza de la comunidad... Con runa manavali tendremos que comer, tendremos que dormir, tendremos que trabajar, tendremos que llorar, tendremos que olvidar las penas...»

—¡Corran, carajo! ¡Corran!

Cuando todos entraron en el pueblo por una calle estrecha, sucia y desigual. Isidro anunció de pronto:

—Aquí. Aquí vive el teniente político.

Luego echó pie a tierra frente a una casa baja de corredor abierto. Entre ruidos de roncadoras y de zamarros se hizo presente con grandes voces y duros golpes en una puerta cerrada de la pared del fondo.

—¿Quién es? —interrogó desde el interior una voz soñolienta y altanera.

—¿Qué es, pes? ¿No me conoce? ¡Isidro Caril

—¿Qué quiere pes, cholito?

—Vengo por un matrimonio de indios.

—Otro día será. Ahora es fiesta.

—Haga no más este favor.

—Estoy chuchaqui. Anoche tuve un santo.

—Es urgente. Se han estado amañando unos roscas.

—Déjeles no más, cholito, que sigan gozando de la vida los pobres.

—Es que...

—¡No!

Volviéndose a Gabriel el cholo Isidro hizo un gesto con los brazos y los hombros que expresaba claramente su derrota. Ante semejante problema el nuevo «patrón grande, su mercé» se sintió obligado a entrar en el corredor de aquella sórdida puerta vivienda, y dándose con el látigo en las botas afirmó ante la puerta cerrada donde había fracasado su mayordomo:

—¿Qué pasa, amigo? Hemos venido desde la hacienda a pedirle que cumpla con su deber. Y usted duerme y responde como un ministro.

—¿Y quién es usted para gritarme? ¡Yo...! ¡Yo...! —chilló en protesta altanera la perezosa autoridad.

En vista del chasco del orgullo gamonal Isidro rió por lo bajo. Saboreaba con deleite diabólico la menor contrariedad o inexperiencia del intruso heredero de las tierras de don Manuel Pintado. Gabriel, que a esas alturas había intuido más de una vez aquel fondo amargo y venenoso del cholo, se llenó de rubor omnipotente —fresca y reiterada resonancia del continuo «amo, patrón grande, su mercé»—, y gritó exhibiendo su nueva filiación:

—Soy Gabriel Quintana. ¡Soy el dueño de la Providencia, carajo!

Por breves segundos se hizo un silencio de tumba tras de la puerta cerrada. Silencio que engendró luego ruidos extraños, ruidos como de perros que se arrastraban meneando el rabo —pasos en la oscuridad, órdenes y contraórdenes—. Una voz humilde, casi llorona, se filtró al final por las rendijas:

—¡Jesús! Así ha de decir, pes. ¿Cómo he de saber

yo, pobre, que es usted? Usted mismo. Espere un ratito para abrirle, ¿no?

Mal cubierto cuerpo y alma por un poncho raído
de casa adentro, por una camiseta de mangas hasta
las muñecas, por un calzón remendado en las rodillas y amarrado al descuido, apareció el teniente político destilando sonrisas y zalamerías de repugnante
factura.

—Buenos días, señor. Perdóneme no más. Discúl-
peme, pes. Aquí todos somos chagras ignorantes.

—Sí. Comprendo —murmuró Gabriel en tono de
perdón y olvido.

—Entonces voy a sacar la mesa al corredor para
atenderle a gusto. Aquicito ha de quedar bien.

Con la ayuda de una mujer, una chola llena de rubores —limitaba sus servicios y diligencia a la penumbra del dormitorio—, la autoridad sacó al corredor
dos sillas de asiento de cuero —una para Gabriel y
otra para el mayordomo—; arrastró una mesa sobre
la cual echó una colección de gruesos registros, papeles y útiles de escritorio. Como si supiera siempre
el argumento de la historia que tenía a sus puertas
sonrió al señor latifundista, miró amistosamente al
mayordomo y desató a los novios dándoles consejos.
Cuando todo estuvo a su sabor, murmuró, ceremo-
nioso:

—Necesito dos testigos.

—Yo puedo ser el uno —propuso Isidro.

—Caray... Usted, cholito...

—¿Qué, pes?

—Siempre. De la misma hacienda...

—Aaah.

—Mejor podemos hacer una cosa. Yo firmo por el
Juan Peña y el Leopoldo Ruata. Son mis amigos.
Bueno... Se les puede contentar con algo... Tres su-
cres a cada uno. ¿No le parece, señor?

—Lo que usted diga.

A todo aquello los interesados, sin proferir palabra, haciendo un grupo enternecedor frente a la mesa,
aturdido él, lloriqueante ella, se habían limitado a observar los ajetreos de los patrones grandes y chicos
que jugaban con su destino.

La ceremonia en sí no duró mucho. Luego de
anotar nombres, fechas, edades, y, sobre todo, la acep-
tación «expresa de los novios», que no habían profe-
rido una sola palabra —voz, gestos y firmas a ruego—, Gabriel recibió de manos del señor teniente

político el certificado de matrimonio.

—Con esto les ha de casar no más taita curita. Ojalá no les cobre mucho por las dispensas. De tercera para runa pedirá, señor.

—Bien. ¿Y a usted cuánto le debo?

—Nada, pes. ¿Qué ha de estar preocupándose por semejante disparate? Un algo para los testigos...

—Sí, patrón. Un algo —intervino el mayordomo, que conocía de los recursos desinteresados de la autoridad.

—¿Cuánto?

—Unos treinta sucres para que se repartan.

—Muchas... Muchas gracias.

—Tome.

—¡Oh! Sí. Bueno. Ya sabe. Lo que se ofrezca, señor —concluyó el teniente político recibiendo el dinero con sonrisa llena de dientes podridos y baba espesa de gratitud.

Cuando los huasicamas, los novios, Gabriel y el mayordomo llegaron a la plaza, todas las gentes del pueblo —vivos colores en los ponchos de las runas, en los rebozos de las indias, en los follones de las cholas; empaque de doctor arrugado y hediondo a zapatos de becerro en los chagras adinerados; elegancia de terno mal zurcido en los muchachos descalzos; coquetería de cintas, joyas falsas y peinetas en las hembras casaderas; suciedad y harapos indescriptibles en mendigos, indios cargadores, rapaces vagabundos— se barajaban, diligentes unos, perezosos otros, entre puestos de frutas y verduras amontonadas en el suelo; entre olores a cebolla, patatas, carne fresca, viandas de mondonguería; entre el oleaje de rústicas sombrillas de liencillo pringoso; entre el murmullo excitante de la oferta barata y del regateo burlón: «Lleve, pes, caserita»; «Tome la probana», «Yapando he de dar», «Píquese con ese rico puerco hornado», «Tome chichita», «Pongan en mashca», «Pongan en huevos», «Adefesio, cara está», «Ratón parece cuy», «Papa de chugchi no más es». Sin misterio de tinieblas, a la luz del día, los valores de la magia ubicados en los puntos más estratégicos embobaban con charla de fonógrafo y atavío de plu-

mas de jíbaro y cuero de serpientes: «La calavera
que dice el porvenir sólo por dos reales», «El jabón
quitamanchas», «La mujer araña». Era la feria, que
a esa hora lograba romper la modorra hipócrita del
ambiente, avivando a las mozas de ordinario esquivas
—bajo el mugriento pañolón—; burlando el cansancio
de los arrieros con el juego de pelota, de gallos o de
baraja; sacudiendo la neurastenia de don Francisco
López —crecida sobre un cajón de querosén al umbral del bazar «El Progreso»—, para tenderla en la
plaza pública en desigual competencia con los merca-
deres afuereños. Era la feria, cuyas raíces se con-
fundían con el nacimiento del pueblo, con la evasión
de los primeros cholos de la casa gamonal, con el
gusto de las primeras citas clandestinas de güiñachishcas y chagras amayorados, con el orgullo frenético
—superación superficial e inconsciente— por imitar el
gesto presumido del último encomendero, de taita
curita o del señor de la ciudad.

—Uuu... Tendremos que esperar. Ha comenzado la
segunda... —dijo el mayordomo desmontándose con
apuro.

—Sí. Así parece.

—¿Y su mercé no va a oír misa ni ahora? Como es
domingo... —continuó Isidro en tono de reproche.
Había notado que Gabriel —liberal de prejuicios baratos— no cumplía con los preceptos de la santa
madre iglesia y pensaba aprovechar de aquella obser-
vación en la primera oportunidad.

—Vayan ustedes.

Los huasicamas, los novios y el mayordomo ingre-
saron en la casa de Taita Diosito. Gabriel, entretanto,
amarró su caballo a la estaca de una esquina y se
puso a pasear a lo largo del pretil de la iglesia. De la
monumental iglesia cuya construcción duró más de
un siglo. Más de un siglo creciendo lentamente a la
vista, paciencia y raquitismo de un centenar de casas
miserables, de chozas esparcidas por el campo, de callejuelas hediondas, de senderos tortuosos. Centenaria angustia donde faltó algo siempre. Que las paredes
del convento... Que el pan de oro para el altar mayor... Que el entablado de la sacristía... Que la cúpu-
la de la capilla... Que los arcos de las naves... Que las
torres... Que los campanarios... ¡Ah! Pero el produc-
to socorrido de las fiestas de «Mama Virgen», las
mingas de los domingos, las limosnas que acumulaba
el «Cristo del Buen Consejo» —pistolero armado de

amenazas y calamidades— situado en la garganta más espeluznante de la cordillera, la generosidad de las almas piadosas a la hora de la muerte, conjuraron a largo plazo el imposible.

También del pueblo —casas, chozas, callejuelas, potreros, huertos, quebradas, galpones, iglesia— ni existía en épocas remotas sino la ladera pelada para descanso de viajeros, para escondite de prófugos, para querencias de rebaños y pastores; todo por el agua cristalina que filtraba la peña. Pero un día, al amor de viejas referencias, llegó una india en vísperas de ser madre, y, por tal razón, en trance de caer en el odio y en la venganza del «amo, patrón grande, su mercé», que presumía por ese entonces de santo y de héroe. Llegó cubierta de barro, arañando a gatas el terreno deleznable de la pendiente. Dicen que al caer sin aliento entre las breñas y el chaparral abrió los ojos bajo un cielo de párpados cerrados, negros, lanzó un grito, luego otro y otro que rodaron en eco sordo y profundo por los barrancos; empuñó la tierra donde apoyaba las manos, arqueó el cuerpo, y... Absorta en su dolor estiróse suavemente hasta sentir con los muslos algo tibio y baboso que lloraba a su lado. Los viajeros, en minga de caridad y compasión, dieron a la mujer techo de paja sobre la piel rugosa del gran guagra —corcova hospitalaria entre dos lomas—, y le llamaron mama Quishpina. Cuentan que cuando el hijo estuvo crecido pactó con el demonio, al cual le exigía por el alma ventajas de estatura, de color y de astucia para poder burlar a las prosas gamonales y a la humildad aborigen simultáneamente. Un poco más tarde aparecieron junto al rancho rústico los primeros síntomas de la feria —puesto de venta de chicha, citas de cambalaches y negocios clandestinos, juego de gallos—, y, frente al chozón de la india y al mercado ocasional, las casucas de corredor abierto al camino. El agua —pequeño hilo de acequia culebreante— fue conducida entre las viviendas del cholerío cuando surgieron los corrales para encerrar el ganado que los señores latifundistas sacaban del páramo. Por ese entonces —primer recuerdo católico del pueblo— plantó su figura quejosa y diligente a la vez un «taita curita» que —nadie sabía bien el nombre— a fuerza de acomodar los sagrados oficios en un rincón de los corrales —boñiga, pelos sucios de bestia y pasto fermentado que impregnaban sabores nauseabundos al pan y al vino eucarísticos— convenció al Todopoderoso para que ilumine a las gentes en favor de una iglesia, de una buena iglesia. El milagro se inició una noche en la cual el santo varón fue llamado con urgencia junto al lecho del moribundo más poderoso de la comarca —dueño y señor de las tierras del valle, de la ladera, del páramo, de todo cuanto existía a cincuenta leguas a la redonda; viejo linajudo cargado de remordimientos, cuya experiencia libertina y sinuosa le aconsejó en la hora suprema transar con Dios por si las cosas del otro mundo eran tan bravas como aseguraban—. Con el infierno a la vista no pudo el moribundo ponerse a regatear un galpón y unos corrales en la ladera de Guagraloma. El legado fue preciso y definitivo, como ancha y emocionada fue la absolución. Desde entonces cholos e indios sueltos o huidos de los latifundios de los alrededores se agruparon en torno a la inconclusa casa del Divino Salvador y se ampararon al servicio y misericordia de «taita curita». Aquella importancia misteriosa de las paredes a medio terminar eclipsó la algazara de los negocios ubicados frente al rancho de mama Quishpina. Todo fue a parar y a robustecerse a la sombra de la puerta del templo.

Cansado Gabriel de pasear su aburrimiento en el pretil, y libres de sus obligaciones religiosas el mayordomo, los huasicamas y los novios, entraron en el curato por la puerta de la servidumbre. Era el curato un edificio de piedra. En el barandal del corredor abierto a las tierras del convento —treinta mil metros cuadrados con flores, árboles, hortalizas, maíz— se arrullaban unas palomas. Gallos de pelea —altos, bajos, negros, rojos, pintados, tuertos, tristes, inquietos—, trabados por todos los rincones de la casa y de la huerta ponían una nota y un olor de gallera en el ambiente. Una mujer de senos pomposos, actitudes esquivas, vestido largo en mimetismo de sotana, perfume a cebolla y sacristía, les dio la bienvenida y les invitó a esperar hasta que se desocupe el señor cura.

—Siéntese, señor. Aquí... Aquí...

Cuando desapareció la mujer el mayordomo, con gesto de pícara complacencia, murmuró en voz baja a Gabriel:

—La sobrina.

—¿La sobrina?

—Pero la sobrina de doble uso, pes.

—Aaah.

—Un pícaro es...

Más que la chismografía del concubinato del sacerdote al dueño de la Providencia le intrigó la colección de aves de corral.

—Y según parece es gallero.

—Un diablo, su mercé —informó el cholo, haciéndose cruces como beata.

—Sí... Sí...

—Con decirle que hasta cuando está diciendo la santa misa vive pendiente de los animales. Conoce por el canto si tienen hambre, si tienen sed, si tienen pepa, si falta alguno, cuál es el tuerto, cuál es el pintado, cuál es el patojo, cuál es el que le regalaron en las pascuas.

Isidro Cari, al notar el interés de su interlocutor, dándose importancia desgranó un centenar de anécdotas del sacerdote y su vicio por los gallos, mientras Gabriel delineaba e identificaba en su intimidad al sotanudo.

Días más tarde el dueño de la Providencia, al describir al párroco de Guagraloma en una carta a un amigo de la capital, repetía con pelos y señales todo lo que le contó el cholo mayordomo.

«Figúrate. Una tarde fue llamado el curita para administrar el viático a un moribundo. Al salir de la iglesia —ritual de estolas, encajes, tiras bordadas, monaguillos, incensarios, procesión de cholas y muchachos con flores y velas encendidas—, el demonio, excitado y burlón por el fingido recogimiento de los rezos, de los purísimos olores y de las lánguidas campanillas, plantó un buen humor en medio de la calle por donde debía pasar el entorchado sacerdote llevando al Divino Salvador entre las manos. Justo tras del templo —línea que parte las tierras del curato con los potreros de libre pastoreo—, un grupo de cholos montaba círculo de risas y apuestas al excitante aleteo de una pelea de gallos. El obstáculo alevoso tardó mucho en recogerse hacia la cuneta para dar paso al Santísimo, ofreciendo así la oportunidad de que taita curita mire de reojo —fulminante y retador— la pelea improvisada y de que oiga los comentarios llenos de contagiosa emoción: "Han zafado al pollo negro." "Está peleando como macho mismo." "Pollito no más es." "Se da con el gallo más fino de la comarca. El colorado de don Ramírez." "¿Aguantará?" "¿No aguantará?" "Qué también será pes." "Al principio decían que no le aguantaba dos revuelos." "Decían, carajo." Con algo de narcotizante y curioso el sotanudo se quedó inmóvil, envuelto en un rubor que le susurraba en la sangre: "Mi pollo negro... El gallo colorado del chagra Ramírez." Alargó el pescuezo. Miró... Miró la gracia fina y audaz que él había cultivado en aquel pequeño puñado de plumas. No pudo seguir su camino. La contagiosa curiosidad detuvo también a los fieles. Algunas velas se apagaron. El anuncio argentino de la campanilla: "Paso al Santísimo... Paso al Santísimo...", murió lentamente. En los labios del sacerdote, donde persistían estremecidas oraciones y latinajos, surgieron las palabras de rigor en las galleras: "¿Aguantar dos revuelos? ¡Carajo! Ya verán quién cae primero. ¡Chagras brutos! Es de tapada el pollo, pendejos. Lástima... Lástima no poder chuparle la cabecita para un buen careo..." Con gesto precipitado llamó entonces el cura a uno de los monaguillos, y, alzándose impúdicamente con una mano el alba de encajes y la sotana, ordenó al muchacho después de entregarle un billete que extrajo de la faltriquera: "Apuesta en mi nombre, ya mismito, estos diez sucres al pollo negro." En ese instante los animales rodaron entre picotazos, aleteos y patas crispadas. El sacerdote, con las manos que volvieron al pecho —centinelas del Todopoderoso que a esas alturas se sentía incómodo junto al pulso de un corazón enloquecido por el vicio—, subrayó entre dientes carajos y palabrotas de esperanza. Luego a la afirmación de alguien: "El colorado está bajando el pico," él afirmó en voz baja: "Sí, mierda... Ya... Ya..." En efecto, el gallo del chagra Ramírez se mostraba maltrecho y bamboleante, metía con mucha frecuencia la cabeza bajo el ala del adversario, el cual a su vez, con inteligencia diabólica, saltaba hacia atrás buscando el instante propicio para asestar el golpe final. En un segundo, casi imprevisto, erguido el cuello en curva como de interrogación, con salto ágil de puñalada, el pollo negro del señor cura clavó las dos espuelas en el resto de vida que mantenía en pie al gallo colorado del chagra Ramírez. A un tiempo los espectadores exclamaron entonces: "¡Qué rico pollo, carajo!" Entre los gritos y entre los comentarios llegó un rapaz lloroso y fatigado por el camino de la loma, y, acercándose al sacerdote, le dijo: "Ya murió. Ya murió, taiticuito..." "¡Claro! ¿Y quién dice que no? ¡De dos patadas como balazos en el sentido", respondió el cura temblando de emoción. "No. ¡No...!

De fiebre fue. En la choza fue. Abandonado fue. Ya no necesita de nada. Ya no necesita de nadie", rectificó el muchacho. Al comprender el error cuentan que el sotanudo oyó el reproche de la Divinidad presa en sus manos. Sin inmutarse, afirman también que el santo varón respondió: "Calle no más, señor. No se queje mucho. No se haga el pendejo. Ha visto y saboreado una de las mejores peleas de su eternidad. ¿No le parece?".»

Cuando el párroco de Guagraloma apareció por el corredor del curato Gabriel tuvo la impresión de que se hallaba frente a un viejo amigo. Le fue fácil descubrir bajo la sonrisa cortés y humilde del fraile una codicia venenosa, sin escrúpulos. Alguien, desde su instinto, le anunció: «Será tu mejor aliado.»

—¿En qué puedo servirles?

—Soy Gabriel Quintana, el dueño de la Providencia.

—¡Oh! Qué placer... —interrumpió el sacerdote tendiendo la diestra en forma exquisita.

—Gracias.

—Secundino Chiriboga, para servir a Dios y a mis buenos amigos. Venga... Por aquí... —continuó el cura arrastrando al latifundista hasta una habitación reservada a las visitas de categoría. Y dirigiéndose a Isidro, que con vieja lógica de perro fiel trataba de seguir al amo, dijo:

—Usted, cholito... Espere nomás un rato con los indios... Ya nos desocupamos...

—Así haremos, pes.

Una vez en la intimidad —procurando hablar en secreto— el buen párroco se disculpó:

—Le seré franco. No me gustan estos cholos amayorados que quieren meterse en todo. ¡Oh! Y cuando uno menos piensa le traicionan. Por algo reza el refrán: «Si no dan la patada al entrar, dan al salir.»

Gabriel rió sinceramente. Pero conforme el religioso iba subrayando calidades negativas en el cholo, vestía con la imaginación al sacerdote de mayordomo, sin encontrar al final diferencia física entre los dos —color, estatura, pelo cerdoso, labios gruesos, ojos negros—.

—Es extraordinario.

—¿Decía?

—Nada. Según me han dicho... Usted ha hecho buenas migas con ellos.

—A mal que no trae remedio hay que ponerle buena cara.

—¿Por vocación?

—Por amor a Dios. Pero siéntese, mi señor don Gabrielito. Lástima no tener una cosa buena para brindarle. Una copita de puro, de ese fuerte que se da por estos lados; no me ha de hacer el desprecio.

Mientras sacaba la botella de un armario y servía en las copas, el buen párroco hizo el monólogo que tenía por costumbre hilvanar cuando buscaba ser interesante a un amigo de altos quilates:

—Seis meses que está usted aquí, ¿verdad? ¡Seis meses! No he tenido tiempo para hacerle una visita en la Providencia, como era de mi obligación. Usted sabrá disculparme. Desde la muerte de don Manuelito, que de Dios goce, cuánto ha cambiado en este pueblo. Cuando salí del seminario y vine a Guagraloma él fue quien me ayudó... Bebamos, pues. Por nuestra amistad. Fuertecito ha estado el bandido, ¿no? Me regalaron unos chagras de San Martín. No le ha de hacer mal. ¿A quién hace mal un buen mañanazo? En el abuso está el pecado. ¿Y piensa pasar todo el año metido en la hacienda? Estas breñas es cosa de machos. Debe hacer lo que hacía don Manuelito: dejar organizado el trabajo en el verano.

—Quizá.

—Tomemos otra copita. No hay primera sin segunda dicen los chagras y tienen razón.

Antes de despedirse, como si se tratara de una cosa sin importancia, Gabriel pidió al señor cura —su íntimo amigo a esas alturas— bendiga la unión de los indios a quienes había sorprendido en pecado mortal.

—La india es de la hacienda. Recogida por mi suegro.

—¿Y el runa?

—El mayordomo me aseguró que era de la comunidad de Yatunyura.

—¡Ah! Eso... Bueno... Yo le arreglo no más.

—Los gastos corren de mi cuenta. Serán...

—Lo que su generosidad ofrezca para el templo.

—Bien..., bien... —dijo el dueño de la Providencia. Y luego, con gran habilidad, usando frases truncas —técnica de chagra en escabroso monólogo—, dio a entender al sacerdote todo lo que pasaba.

—Comprendo... Comprendo... No es la primera vez que... La misericordia de Dios es infinita —concluyó el sotanudo en tono de absolución.

Al final, en buenas manos los novios y los huasicamas, amo y mayordomo salieron al camino real y por un sendero poblado de chozas. A insistencia de Isidro torcieron por un recodo. Frente a la casa del cholo Torcuato Rodríguez —meta buscada por el mayordomo en la perspectiva de sus oscuros planes—, Gabriel, que llevaba sueño, hambre y una gana frenética de verse con Salomé Cumba, rehusó desmontar no obstante los afanes, las súplicas y la invitación formal que le hiciera, entre rubores y rodeos, el negociante en madera y cerdos.

—Otro día será.

—Pero han de avisar, pes. Un traguito siquiera acépteme, pes, señor.

—Eso... El traguito de los pobres —repitió como un eco una chola de color palúdico que arrinconaba su humanidad en la esquina del corredor de la casa entre mazorcas y rapaces.

—¡Ah! Usted no le conoce, pes, a mi Trinidad. La pobre se quedó inmóvil de la cadera después del último guagua. Qué no hemos hecho para curarle. Qué no hemos ofrecido a la Virgen y a Taita Dios.

—Uuu... —se lamentó la chola con dolorosa sonrisa.

Después de la copa Gabriel quiso despedirse. Todos insistieron entonces con la «otrita», con la «última», con la «del estribo».

Sólo la lluvia —llegó de pronto con gruesas gotas y viento huracanado— pudo dar argumento a los viajeros para una rápida despedida.

En la casa de las hermanas Cumba, entre bromas, cerveza y aguardiente, Isidro aprovechó para liquidar el problema de las reses. Se puso triste, no quiso beber, ni picarse, ni sonreír, ni desaparecer como de costumbre cuando Gabriel babeaba de lujuria sobre el cuello o los senos de Salomé. De pronto —explosión inusitada—, murmuró:

—Ahora... Ahora el único jodido soy yo, patrón.

—¿Eh? No comprendo.

—No ve que el ganado que falta tengo que pagar. ¿De dónde, pes? Cinco cabezas enteriticas.

—¡Ah! Era eso.

—Cinco. Las otras como quiera se descontará mismo a los runas bandidos.

—Pagar... ¿A quién?

—A su mercé, pes.

—¡Ya veremos, carajo! —protestó el dueño de la Providencia tratando de liquidar la inoportuna intervención del cholo.

—Sólo que me dé permiso unos veinte días para ir a buscar con perros y runas en la montaña al ladrón.

—¿Veinte días sin mayordomo?

—Depende de su mercé.

—¡No!

—Entonces pudiéramos arreglar facilito. Se carga no más el total de la pérdida a los huasipungueros.

A Gabriel le pareció muy injusto aquello. Pero el cholo mayordomo, con razones de experiencia campesina, concluyó:

—Como hacía el patrón Manuelito, pes. Los indios pagan estas cosas. Así les tiene más seguros. ¿No le parece?

—Bueno. ¿Quién se pone a buscar al ladrón a estas horas?

III

HUAIRAPAMUSHCAS

Isidro Cari, con hipocresía sin límites, no cesaba de explotar y de envolver engañosamente a Gabriel en todos los negocios de la hacienda. Su vieja ambición de señor latifundista —ensanchar el pedazo de tierra que le obsequió antes de morir don Manuel Pintado— era el motivo de tanta codicia. Con frecuencia se preguntaba: «¿Cómo avanzar? ¿Cómo dilatar la tierra? ¡Mi tierra! ¿Cómo...?» Los linderos de su propiedad se hallaban cercados por problemas naturales: la herida incurable del barranco, los muros de las faldas del cerro, el pequeño valle —convertido en peligroso pantano desde la invasión de las aguas del río— donde en otro tiempo el cañaveral se extendía magnífico. «Volver... Puede volver el terreno, puede mejorarse... Un milagro de Taita Dios... Un milagro de mis manos... Nada se pierde... La plata para la compra... La tembladera seca...», intuía el cholo saboreando la amarga esperanza del riesgo. En otra época aquel impulso, aquella gana inexplicable, le hubiera dejado indiferente; pero en esos días, con la oportunidad de un patrón pendejo en la hacienda —era su forma íntima, subconsciente, de juzgar a Gabriel—, sentíase intranquilo, nervioso. En su aban-

dono, en su ansia de ser alguien, los caminos de la
duda se le multiplicaban: «¿Vale la pena gastarse la
plata? ¿Vale la pena gastarse en un lodazal los ahorros? ¿Los ahorros que reposan tras del cuadro de la
Virgencita? ¿Y si la mala suerte...? ¿Y si Taita
Dios...? ¿Y si me quedo sin respaldo...? ¿Y si me
quedo sin ayuda de ninguna clase...? Solo... Algún
día me echarán de la hacienda como a un perro...
Como a un perro mismo... Ji... Ji... Ji...» Oscuros
momentos que cooperaban minuto a minuto con sus
sueños de señor latifundista hasta obligarle —por urgencia del amparo de una familia o por el interés de
los centavos de la chola— a pedir la mano de Isabel
Cumba —como si se tratara de una doncella— y se-
ñalar la ceremonia para cuando Taita Dios le conce-
da la gracia de ser propietario del pantano.

—Ave María. El Isidro también... —murmuró entonces la novia bajando los ojos con castidad vergonzosa. Jamás sus hermanas... Jamás ella...

—¿Por qué esperar tanto? ¿Para qué, pes, el pantano? —objetó mama Mariquita en tono que delataba
una extraña mezcla de burla al sacramento y de reproche al posible negocio del cuñado.

—¡Púchica! Yo con toditica esa tierra. ¿No se acuerdan cómo le hacía rendir el patrón Manuelito, alma
bendita?

—Uuuu. Pero eso era en tiempo antiguo, pes. Antes
de que el río cambie de cauce.

—Antes de que se convierta en chaparro pantanoso.

—Antes de que el diablo meta la cola.

Al sentirse acosado por los argumentos de las mujeres —eran sus propias objeciones sin respuesta
hasta entonces—, el cholo, con orgullo y testarudez de
macho, halló de improviso la fórmula iluminada y
posible:

—El cauce... El cauce... Se le obliga a cambiar,
pes.

—¡Sólo Taita Dios! —exclamaron en coro las hermanas Cumba.

—¿Y si resulta? A la otra orilla los indios de Yatunyura, que han descendido a la vega. Los indios...
—repitió Isidro como si estuviera mirando una solución lógica y feliz para él.

—¡Ah! Entonces sí.

—¿Para qué más, pes?

—Todítico eso.

—Una hacienda.

—A la tierra hay que dominarle como a las mujeres, carajo —murmuró el mayordomo con risa. No festejaba la comparación, festejaba el encuentro.

—¿Y el señor don Gabrielito qué dice, pes? —interrogó Salomé.

—No me atrevo todavía. Es... Yo...

—Hay que preparar el terreno —dijo mama Mariquita.

—Preparar al señor —concluyeron cholo y hermanas en tono de juramento y de convenio.

Desde entonces Salomé, secundada por el coro de sus hermanas, no desperdiciaba oportunidad para insistir y convencer al «señor don Gabrielito» de los méritos, de la honradez, de la lealtad y de las mil virtudes que adornaban a Isidro. Hasta que un día, cuando más crudo era el invierno, mujeres y mayordomo invitaron al dueño de la Providencia a un ají de cuy y a una chicha de jora en la casa del mayordomo.

Anfitrión y agasajado llegaron en medio de una tempestad que calaba los huesos. Desde la cocina un olor a guiso de charqui, a fritada de cerdo, a humo de leña tierna, saturaba el ambiente.

—Tomen una copita para que no les haga mal las aguas, pes —invitó Salomé, botella en mano, apareciendo por uno de los cuartos, mientras los hombres se sacudían al barro y la lluvia.

—Gracias. Gracias, mi cielo —murmuró Gabriel poniendo cara y empaque de conquistador.

—¿Qué es, pes? No soy tanto —protestó la hembra con humildad, donde conspiraba una oferta huidiza y escrutadora.

Después del «purito de tierra arriba» llegó la chicha de jora, el queso molido, las papas cocidas con cáscara, los cuyes asados, las tortillas y mil cosas más que quedaron esparcidas sobre una mesa. La gente quería beber, embriagarse. Y cuando la digestión y el alcohol adormecieron al egoísmo y exaltaron la generosidad sentimental —terreno preparado, según el decir de mama Mariquita—, Salomé, poniéndose mimosa e insinuante, en un aparte íntimo con el señor de la comarca —esos apartes nada raro a esas alturas—, murmuró con la cabeza baja, enredando nerviosa los dedos en el fleco de la chalina que llevaba puesta:

—Vea... Vea, señor... El pobre Isidro quiere que le haga la caridad de venderle el pantano.

—¿Qué pantano?

—El de aquí aladito, pes.

—No sabía. No me había dicho nada.

—Así mismo es. Charlón para las cosas ajenas. Callado para las cosas propias.

—¿Miedo?

—Miedo será. ¿Qué también será?

—¿Y tú quieres que venda? —interrogó Gabriel con tuteo amoroso al cual ella no se atrevió jamás.

—Usted... Yo... Claro, pes —dijo la moza en tono de triunfo. Y acurrucándose como un niño —estremecida por increíble alegría— se acercó a él —gesto de entrega, de gratitud.

—Bueno. Se venderá —concluyó rápidamente el latifundista. Mas el recuerdo de los malos negocios —sospecha intuitiva al calor de lo que pudo observar más tarde— le aconsejó asegurarse:

—Primero tengo que ver.

La intervención de las hermanas Cumba y del cholo Isidro Cari en aquel diálogo que Gabriel lo había tomado como íntimo y sin escuchas armó una plática melosa, llena de frases de súplica, plagada de raras declaraciones, marcada por la obsesión del cholo —tierra grande para sentirse caballero—. Al final, y cuando el tiempo lo permitió, todos se encaminaron hasta el barranco.

—Por aquí, patrón —ordenó el mayordomo metiéndose por el chaparral que se extendía tras de su casa.

A los pocos pasos, arañada la ropa por los espinos, hundiéndose cada vez más en terreno pantanoso, acosado por ramas sarmentosas, Gabriel exclamó:

—Qué lodazal, carajo.

—¿No le dije, patrón?

—Sí. Así es.

—Algún día, cuando Taita Dios mande un fuerte invierno, el agua cargará con todo. La casa, el galpón, el corral, el potrero, los animalitos.

—No creo. Esto debe tener bases de roca.

—¿De roca? Puro cascajo. Puro lodo. Ya verá...

A medida que avanzaban, el fango y las grietas del terreno, junto a la voz ronca del río —proximidad olor a creciente—, imponían temores y recelos como para prestigiar a las palabras del cholo. El paisaje, preso entre laderas abruptas —lucha porfiada de las márgenes rocosas y la corriente salvaje—, deprimía con su angustiosa voz —aguas turbulentas en el barranco, viento de cuchillo en los bosques lejanos y en los chaparros próximos, pulso de bichos asquerosos en la piel prieta del pantano— al aliarse a la verticalidad de los cerros.

—Vea con sus propios ojos —invitó Isidro cuando llegaron a un pequeño montículo desde donde se alcanzaba a divisar las tierras de su ambición.

—En efecto —murmuró Gabriel.

—Esto... Esto es lo que quiero comprar, patrón —indicó el cholo.

—No entiendo para qué —dijo el dueño de la Providencia absorto ante el absurdo de un lago de lodo verdoso desde el cual surgían de trecho en trecho arbustos de copa esquelética, totorales, islotes de piedra y vegetación inútil.

—Para defenderme, pes. Ahora piso en falso. Siento palpablito que la tembladera va minando el terreno. Un día, cuando menos piense, puedo amanecer sin nada. A lo mejor yo también voy en la furia del río.

—La Virgen no ha de permitir —lamentáronse en coro las mujeres.

—A veces sucede mismo mismo —continuó el cholo.

—Pero... —objetó el patrón.

—¿Acaso no estamos viendo lo que la creciente arrastra en los inviernos? Basura grande. Árboles. Puertas de potrero. Animales. Chamba de tierra deshecha.

—La selva y las montañas —embromó Gabriel, que en realidad no sabía de esas cosas.

El cholo continuó entonces recurriendo al testimonio de las mujeres:

—No se acuerdan del viejo Roberto... Amaneció dando gritos en un islote aislado por dos brazos del nuevo cauce que la corriente había abierto durante la noche.

—Así fue.

—Y la choza del Manuel Quishpe.

—Así fue.

—Y la guagua de la vieja Andrango.

—Así fue.

—Y el sembrado de los Verduga.

—Así fue.

—Algo de mi tierra se pudiera defender desviando un poquito la corriente en el pantano, patrón. Haciendo muros, echando cascajo. ¿Pero cómo, pes, en propiedad ajena? Y por otro lado... Yo no puedo que-

darme así no más, con los brazos cruzados, con esa
indolencia de mis vecinos de la otra orilla, los yatunyuras. Desde aquí se les ve clarito. Ser indio será,
pes. No tener ambiciones será, pes.

—No poder luchar con la Naturaleza —concluyó
Gabriel con orgullo de gran capitán.

—Mire, patrón.

En la otra orilla, borradas en parte por la neblina,
sobre una larga faja de tierra, entre exuberancia de
matorrales y fango, unas treinta o cuarenta chozas
se esparcían cual montículos de paja sucia, decrépita.

—¡Ah! Sí.

—A la vista esos terrenos parecen más altos. Pero
en invierno también les coge el río. Los roscas bandidos salen con el agua a las rodillas.

—¿Y...?

—En el verano vuelven a clavarse en el lodo como
animales. Eso uno no puede, pes.

A Gabriel le pareció oportuna la venta. «Iré a Quito. Una semana. Dos... Tres... Aplacaré las prosas
de mi mujer. Dinero para sus fiestas, para sus frailes,
para la pequeña. Retrato de la madre. Para mí. ¡Oh!»,
se dijo. Luego, con amabilidad y burla que cubría
hábilmente la codicia, interrogó:

—¿Tiene usted algo en dinero como para pagar de
contado?

—¿Tener? Bueno... Un algo...

«¿Qué llamará él un algo?», pensó el dueño de la
Providencia buscando el detalle, la frase que le dé
la oportunidad para calcular el precio.

—¿Como cuánto?

—Según lo que me cobre, pes.

—Considerará que el Isidro es hombre de trabajo
—intervino la mayor de las hermanas Cumba.

—No ha de tener todito de contado. La mayor parte... —murmuró Isabel, que conocía las posibilidades
de su novio.

—¿Cuánto? Si es un disparate ni pensarlo.

—¿Un disparate? —chilló el cholo herido en su
orgullo de caballero en cierne.

—¿Cuánto?

—Tres mil sucres tengo en plata. Si algo pudiera
faltar, vendiendo el chiquero, las gallinas, la vaca con
cría, las mulas y las cabras alcanzaría otro tanto.

«Tres mil en dinero. Tres mil en especies. Tres o
cuatro mil para el regateo, para el valor justo. Le
pido diez mil», calculó Gabriel.

—Bueno... Por ser mi mayordomo. Por haberme pedido las guambras buenas mozas. Por muchas razones sentimentales. Sólo le voy a cobrar diez mil sucres.

—¡Diez mil sucres!

—¡Una fortuna para el pobre!

—¡Una fortuna!

—¿Cómo, pes?

—Tanta plata.

—Tanto sacrificio.

Largo fue el regateo mientras volvían a la casa. Más tarde, a pesar de la embriaguez, el latifundista sólo rebajó mil sucres. El mayordomo, que intuía las perspectivas futuras, que saboreaba un triunfo pocas veces obtenido por él, cuidaba su felicidad lamentándose con fingidas lágrimas de borracho:

—Semejante dineral... Entregar hasta la camisa para defender la tierra. La pobre tierra que me dejó el patrón Manuelito. Como macho mismo... Para eso soy Cari. ¡Isidro Cari! Mejor no tener nada... Mejor no ser nadie... Un cholo, un cholitico...

A los pocos días Gabriel emprendió viaje a la capital. Isidro acompañó al dueño de la Providencia hasta el pueblo de San Martín, donde amo y mayordomo firmaron la promesa de venta del pantano ante el escribano del lugar. Al despedirse, el cholo aflojó los tres mil sucres y el latifundista ofreció volver con la autorización de la esposa para la escritura definitiva después de dos o tres semanas.

La dulce perspectiva de una política que por ese entonces se descomponía barajando nombres de parientes y amigos en la alta burocracia —la eterna salvación nacional de las oligarquías—, retuvo a Gabriel —alejado de la sórdida vida campesina— más de lo que en realidad debía. Mientras tanto, el cholo mayordomo —urgencia por reunir la platita que le faltaba— transformó sus costumbres. Al amanecer, estudio del terreno pantanoso en busca de posibles desagües. Mañana y medio día, inspección y sugerencias a los trabajos de Rodríguez en el bosque —la indiada de la Providencia arrastrando por barrancos, desfiladeros y chaquiñanes grandes troncos de difícil transporte—. A la noche —impulso de amor—, plática y amaño de noviazgo con Isabel.

Pero una tarde que Isidro se sintió más audaz y lógico que de ordinario e hizo el balance de lo poco que ganaba en el negocio con el cholo maderero y de las molestias y complicaciones que le podía acarrear aquello, se dijo: «Esto está pendejada. Dos... Tres sucres en árbol... No hay quien compre tanta viga, tanta leña, tanto tablón... Los roscas se joden las manos, la espalda, la rabadisha... Pueden ir con el cuento donde... Es fijo... En cambio si... ¿Qué? ¡El páramo! Diez... Veinte... La carne está cara. ¿Cómo puede saber? No conoce... Las reses remontadas en el páramo...»

El párroco de Guagraloma arregló al gusto de Gabriel el matrimonio de la longa Juana con el indio yatunyura. Al final aconsejó al novio, por si las cosas no estaban bien remachadas:

—Entenderás, runa bruto. Tienes que defender a la guarmi como si fuera pedazo de tu mismo shungo. ¿Entiendes?

—Cómo no pes, amo, taita curita.

—Al verte llegar con una longa extraña los indios de tu comunidad pueden... Bueno... ¿Qué también, pues? Pegarle, brujiarle, matarle, a la pobre...

—No, taitico.

—Yo les conozco. Unos bandidos son. Hay que estar prevenido. Oirás. Y vos también longa. No se dejarán sorprender por nada del mundo. Si sospechan algo malo huirán no más. El domingo he de ir a darles la santa misa. En el sermón les hago comprender a los roscas salvajes.

—Bueno, taitico.

Y la nueva pareja, él adelante, ella atrás, salieron del curato. Su marcha sonó sobre el barro del sendero a pasos fugitivos. Una angustia de alegría y de tragedia a la vez les encerraba en el pulso de una intimidad sin perspectivas. El corazón ardiente, hueca la cabeza, caminaban. ¿Hacia dónde? No fue por cansancio que ella se tendió en el suelo, entre las piedras de la orilla, antes de vadear el río.

—¿Qué te pasa, pes?

—Nada... —murmuró Juana mirando de reojo con fingida humildad e ingenua coquetería al marido que le dieron el señor curita y el amo de la Providencia.

—Lavemos patas. Sabroso... —propuso el indio en tono juguetón. El también era presa de un viscoso temor hacia los suyos. Tenía choza aparte —herencia de los viejos que les tragó el monte—, pero... El alcalde, los brujos, las curanderas, los parientes, las longas con quienes alguna vez se revolcó en el potrero... Luego, entrando en el agua y señalando una hilera de grandes piedras donde se estrellaba la corriente, declaró:

—Por aquicito es el paso.

—¿Y después? —objetó ella al distinguir que aquel camino de puntos suspensivos se cortaba mucho antes de dar con la otra ribera.

—No es muy hondo, pes. Yo conozco... Mishcándote hemos de pasar.

Un rubor feliz y doloroso al mismo tiempo abrió una pausa. Una pausa llena de recelos, de amenazas, de oscuro porvenir, donde ella y él, instintivamente, juraron ayudarse, defenderse, unirse. «Ayayay, mama, mamitica. No soy guagua de taita yatunyura. Soy guagua de patrón, su mercé», se quejó entonces desde el vientre el feto. Pero ella, aplastando su recuerdo —taita diablo blanco, ricurishca—, dijo a su vez: «Nada. Fantasma. Sueño. Sólo el yatunyura para mí, para nosotros...»

Al dar con la choza y entrar en ella, Pablo Tixi anunció a la mujer:

—Aquí hemos de cainar toda la vida.

—Aquí —repitió ella como un eco.

No fue ninguna novedad para Juana el jergón en el suelo con cueros y ponchos viejos, el hacinamiento de boñigas secas en un rincón, los huecos en las paredes tapizadas de hollín, las ollas de barro, los cuyes entre olores y hierba y orinas, el pondo para el agua hundido en el suelo, la puerta hacia los sembrados, la piedra de moler.

A la tarde del siguiente día la noticia de la presencia de la longa Juana creció en escándalo por las parcelas adjuntas a la choza de Tixi, trepó por los chaquiñanes, por el bosque para la leña, por el potrero para el pasto colectivo, por la ladera de los viejos comuneros. Las mujeres, al comentar la nueva, se santiguaban tratando de ahuyentar al demonio vestido de huairapamushca. Jamás había sucedido tal cosa. Los rapaces, ocultos tras las pencas y los chaparros de las tapias, espiaban con curiosidad malsana y arrojaban terrones y piedras hacia la choza donde había caído la desconocida. Los runas —profunda seriedad y adusta indignación— consultaron de inme-

diato a los brujos y a los alcaldes. ¡No...! ¡No estaban acostumbrados! Aquella mujer intrusa que al
verle por los caminos de la sierra, por las ferias de
los pueblos vecinos, por las chozas de los huasipungos,
no les hubiera dicho nada, no hubiera rozado su
atención, al clavarse con amenaza de perpetuidad en
la tierra defendida heroicamente por sus mayores,
tomaba proporciones de maldición, de ave del infierno traída por los vientos del demonio. La letanía de
la indiada creció en preludio de calamidades:

—Taita diablo parece.
—Vendrá la desgracia
—La desgracia en el monte.
—La desgracia en el río.
—La desgracia en los sembraditos.
—La desgracia en los animales de Taita Dios.
—La desgracia en el aire.
—La desgracia en todo mismo.
—Nos agarrará el Cuichi.
—Nos agarrará el monte.
—Nos agarrará el diablo colorado.

Con obsesión diabólica, mala consejera, hombres,
mujeres y rapaces, llenos de temor en la voz y de movimientos instintivos en el gesto, sintetizaban en el
comentario público o privado la desconfianza ancestral que dejaron en su alma y en su carne los atropellos a la tierra querida, a la choza miserable, a los
hijos indefensos, a las longas doncellas todos los
patrones de la comarca y todos los cholos amayorados que se multiplicaban en el pueblo. Alguien entonces murmuró en tono de queja para descargar la
angustia:

—Huairapamushcas.
—Aríii... Huairapamushcaaas...

Eco de cien voces que rodó por el paisaje, que par-
padeó en las candelas de los fogones, que se alargó en
el humo del tabaco de los brujos, que silbó con el
viento en el follaje de Taita Yatunyura, que se con-
fundió con el ladrido de los perros, que se aferró a
la testarudez de los alcaldes, de las curanderas.

—Huairapamushcas.
—Aríii... Huairapamushcaaas...

Era la palabra —flagelo y venganza— que ardía en
la sangre de la indiada desde la oscura fantasía de
Taita Viracocha, desde la memoria trágica de la aparición de los hombres blancos y barbudos que llegaron con el mal viento —de improviso, en alas de la

casualidad—, que surgieron de los páramos, de la
manigua, del mar. Era la herida del alma. La herida
pudriéndose en la encomienda, en el concertaje, en el
latifundismo, supurando desconfianzas, extraños rencores para todas las gentes que no eran de su refugio, para todos los intrusos, indios, señores o cholos.
A la noche, a favor de las tinieblas —la luz casi
siempre traiciona a la venganza—, ebrios de un diabólico deseo, al son de la música del tambor de ronca idolatría y de la flauta de agudísimas notas para
tatuar la carne misteriosa de los fantasmas adversos,
los yatunyuras se acercaron a la choza del traidor,
murmurando entre dientes:

—Huairapamushcas.
—Aríii... Huairapamushcaaas...
El indio Pablo y la longa Juana, que hasta entonces habían permanecido acurrucados junto al fogón
que prendió ella —lumbre próxima a extinguirse—,
se miraron aterrados. Era por ellos. Sí. Pero...
—Ave María —murmuró la mujer poniéndose de
pie con las manos crispadas sobre el vientre.
—Ya vienen.
—Gritando como diablos.
—Taita curita dijo... Dijo que huyamos no más...
—recordó el runa agarrando a la longa por el brazo
como si tratara de defenderla y explicarle a la vez el
riesgo que corrían. Muchas veces fue testigo de la
furia criminal de los suyos. Les vio atacar en manada, torturar sin compasión, matar.
—Huir. ¿Adónde, pes, taitico? —interrogó ella con
urgencia y temor nacidos en su pecaminosa y oculta
gravidez: «Pronto, mama... Mamitica... Volvamos donde patrón grande, su mercé...»
—Adonde sea.
Salieron por la puerta siempre abierta a los sembrados. Cruzaron un potrero. Se escurrieron por una
zanja. Imposible ganar el río. El clamor ululante,
amenazador, llegaba de ese lado.
—Al páramo —propuso él.
—Al páramo.
Presos de fatiga treparon como ratas por los chaparros de la ladera. Era una noche sin luna, sin
lluvia, sin neblina, pero el viento silbaba en las orejas, helaba la nariz, partía los labios. La música se
había vuelto lejana. Parpadeaban de frío las estrellas. Roncaban las sombras en la oscuridad.
—Espérame, taitiquito. Ya no avanzo —suplicó la

longa desde un pequeño barranco que no había podido trepar.

—Dame la mano, pes.

—Aquí.

—Ya... Ya...

—Corre. Corre no más.

—No puedo. No puedo.

—¿Cómo, pes?

—El shungo. La barriga.

—Entonces échate como lagartija.

Ambos se tiraron al suelo. Se arrastraron nerviosos unos metros bajo unas matas raquíticas de chilcas y de moras. El olor a paja y el silbante clamor del viento les anunció la proximidad del páramo. Habían corrido tanto.

—Juanaaa. Juanitaaa.

—Taiticooo.

—Tenemos que buscar un hueco.

—Un hueco.

—Para no quedar como pájaros agarrados del frío.

—Me duele la barriga.

—Ave María.

—Quiero vomitar.

—Espera.

—Achachay. Achachaaay.

—Carajo.

—Taitico.

—Resbalemos no más.

—¿Y lo que dijo taita cura?

—Soroche de cerro. Soroche de huaira.

«Huairapamushcas. Aríii... Huairapamushcaaas...», golpeó una voz en la intimidad del indio, embriagándole de amargo remordimiento. Era culpable, criminal, maldito. ¿De qué? Los suyos le querían matar. Los otros... Los otros le obligaron a cargar con la longa. «Longa desgraciada... Longa ajena metida en el shungo... En lo más caliente del shungo...»

—Me muero, taitico.

—¡No! —exclamó el yutunyura instintivamente. Si ella le abandonaba tendría que huir solo.

—Ay... Ay... Ay...

—Resbalemos por la ladera. Prontito. Eso... es bueno para quitar el mal.

—Pero... —murmuró la mujer en tono que expresaba su enorme desconfianza.

—¡Vamos! —chilló el indio evitando la solución razonable de su problema. Lo importante, en realidad, era que ella...

Al precipitarse pendiente abajo, la pareja dio para su buena suerte, con un hueco acogedor en la peña. El refugio improvisado liquidó poco a poco la fatiga y el soroche.

—Aquí... Aquí podemos cainar... Cainar... —propuso el runa abrazando a la longa, aún estremecida por la náusea.

—Taitico. Póneme la mano caliente en la barriga, pes.

—¿Pasó un pite?

—Un pite... —repitió la mujer con voz de queja que al mismo tiempo delataba sueño y ternura.

Entretanto, junto a la ribera del río, entre las chozas y los sembrados de la comunidad, hervía pertinaz la música del tambor y de la flauta, agigantándose y abatiéndose al capricho del viento. Y fue en la pausa que abrió la espera, acorralados por la angustia caótica de íntimos remordimientos y por el temor morboso de amenazas circundantes —ella ardiendo en la voz resentida de sus entrañas: «Asco de longo yatunyura... Mejor... Mejor ricurishca de patrón grande, su mercé... Huir a la hacienda... Pronto... Mamaaa...»; él tragándose la vergüenza de su traición: «Huairapamushcas... Aríiii... Huairapamushcaaas...» y el pánico del castigo que podía aplastarles de un momento a otro—, que los novios se unieron amorosamente, se unieron con afán de olvidar, en busca de la ternura fogosa que podía darles su noche de bodas. Pero... De lo hondo de la garganta del indio, al estremecerse su cuerpo y su alma, brotó un rumor de queja y maldición a la vez —como si alguien hubiera roto la espontaneidad del instinto, como si alguien hubiera estrangulado de antemano al placer—, mientras en el leve temblor feliz de la carne de la hembra se tatuaba un gesto de angustioso deleite, de gana inalcanzable de morir, de ansia paradójica para librarse y retener algo que ardía y acariciaba como un mordisco en la sangre, apretadas las arrugas en el entrecejo y en las comisuras de los ojos cerrados, entreabierta la boca, arqueadas las caderas, palpitante y sudorosa la piel—. Toda la dicha plácida e indescriptible del goce sexual se hallaba condensada en esa mueca llorosa y suplicante. Cuán distinta era la expresión del amor en ellos.

Instantes después, mientras ella yacía en el suelo,

desmadejada, él se arrastró hasta la salida del refugio. En la noche de cielo impenetrable y de tierra hostil —había calmado un poco la música—, él creyó hallar una esperanza. Volvió hacia ella, y, con un suspiro, le murmuró al oído:

—No vienen. No... Difícil ha de ser que nos trinquen... Taita cura ha de venir a la misa prontito.

Con la primera luz de la mañana la pareja se aventuró a pesquisar sobre el bajío. Frente a la iglesia —un galpón desvencijado con cruz sobre el ángulo del techo, espadaña a la diestra en caballete de vigas— discutían acaloradamente más de una veintena de indios. Uno, por las apariencias alcalde, alzó de pronto la vara de mando, y la música del tambor y de la flauta volvió a levantar su vuelo por todos los caminos sospechosos, por los chaquiñanes, por el vado del río, por la ladera del cerro, por los secretos del monte.

En Guagraloma el vecindario comentó desde el amanecer:

—La música maldita.

—Indios salvajes, brutos.

—Indios del demonio.

—Cuando se dan a tocar no paran.

—Hasta cumplir la justicia.

—Su justicia... Su venganza...

—¿Cómo será?

—¿Cómo también será?

—¿Cómo harán?

—¿Cómo también harán?

—Al son de la música cuelgan al cristiano.

—Cristiano mismo no ha de ser.

—Bueno. Entre ellos, pes.

—Alguna longa adúltera.

—Algún longo ratero.

—Criminal.

—Ave María.

—¿Y por qué se les deja hacer así?

—¿Quién para que se meta en ese infierno?

—Amanecen no más colgados del Yatunyura como animales los longos.

—Semejante palo tan alto.

—Palo sagrado.

—Sagrado para ellos.

—El señor cura y el teniente político es de que vayan.

—Son los únicos.

—Y cuando se les encuentra por los caminos, en la feria, en las chicherías, parecen unos santos.

—Almas de Taita Dios.

—Pero cuando están en manada son terribles.

—¿Qué querrán ahora?

—¿A quién querrán colgar?

—¿A quién querrán castigar?

—¿A quién querrán matar?

—¿A quién...?

—¡Dios nos ampare!

—¡Jesús nos libre!

—Indios salvajes, brutos.

—Indios del demonio.

Como el señor cura solía exagerar su caridad y su compasión hacia los comuneros —le proporcionaban pongos para el trabajo de la huerta y longas servicias para las ocupaciones domésticas—, al escuchar los comentarios del cholerío se puso nervioso, y, al entrar en la iglesia, lo primero que hizo fue trepar al campanario, desde donde se alcanzaba a divisar gran parte de las tierras de Yatunyura. La bruma envolvía al paisaje en un sudario de algodones sucios. Pero la música del tambor y de la flauta dio al santo varón la certeza de cuanto estaba pasando en su rebaño.

—Pobre longa. No... No debí... —murmuró a media voz mientras descendía las escaleras de la torre. Y con esa insistencia de las ideas fijas, contradictorias, llenas de bondad y de egoísmo a la vez, el buen párroco se puso a revolverse mentalmente sobre el mismo tema: «La pobre longa. Mi deber cristiano. ¿Cristiano? Estaba preñada. Preñadita del patrón. Patrón grande, su mercé... Más libidinoso que los otros. Igual. Las indias paren cholos. Las cholas uno que otro caballero. Que se hace el caballero a fuerza de pendejadas... Ji... Ji... Ji... El dueño de la Providencia tiene que ser mi amigo. Mi amigo para bien de la iglesia... Hinchado... Hinchado estaba el vientre bajo el anaco. Un poco. Lo suficiente para que no note el marido. Indio no más es. Indio yatunyura. Son los más jodidos. La longa estaba buena moza, tierna. Los senos, duros. Una probadita no me sentaría mal... Ji... Ji... Ji...» Ante el camino tibio y pecaminoso por donde se precipitaban sus ideas el sacerdote murmuró con voz de náufrago al entrar en la sacristía:

—Jesús Bendito, líbrame del demonio.

Y no era por cobardía que dejaba de tomar la deci-

sión más justa. Desde siempre su palabra fue ley en
la indiada de comunidades, parcelas y huasipungos.
Hasta los ritos y costumbres tradicionales de los runas los transformó a su antojo. No obstante, los yatunyuras le querían, le respetaban. El, con gran astucia y con buenos consejos, nombraba alcaldes, gober-
nadores, indios de vara. Ellos, a su vez, le proporcionaban pongos, indias servicias, diezmos, agraditos.
Pero el caso se le volvía dudoso y problemático por
no saber en realidad cuál era el deseo profundo del
dueño de las tierras de la Providencia respecto a la
india. ¿Dejarla que muera para que desaparezca el
hijo? ¿Dejarla que viva? Ambas perspectivas eran
posibles en el corazón del señor latifundista.

—Estos... Estos patrones nuevos son unos jodidos.
No hablan claro —murmuró el señor cura a media
voz mientras se pasaba la mano por la frente.

—¿Qué es, pes? Loco parece —opinó la sobrina de
turno que en ese momento servía el desayuno.

—Tú no entiendes de estas cosas, hijita —se disculpó el sotanudo dándose importancia de santidad
y de sabiduría.

—Parece no más.

—¡Oh!

—Cuando tiene tanto interés su reverencia por algo
será —afirmó, celosa, la mujer.

—Hay problemas —dijo el sacerdote. Y de pronto,
abriendo feliz los ojos, iluminándose el gesto, dejó a
un lado la discusión familiar para encerrarse en la
urdimbre de posible salida al problema que le in-
quietaba: «El interés... El interés por algo será. ¡Sí!
El le trajo personalmente. El le recomendó. El buscaba un parapeto. Sólo un parapeto. Le quiere viva. Vi-
vita. A lo mejor se encariñó con la longa. Es flamante
en el negocio. Quizá por eso. Pero cuando sepa que
tiene centenares de indias y de cholas a su disposi-
ción. Mientras tanto... No cabe la menor duda. Es
mi obligación salvarla. Es mi deber cristiano...»

Sin terminar el desayuno el buen párroco ordenó
a la sobrina:

—Que una de las indias servicias vaya a la huerta
y diga al pongo que venga, que le necesito... Debo ir
adonde los yatunyuras.

—¿Tan temprano?

—Sí.

—¿Con esa música? Pueden...

—No importa —concluyó el fraile en tono heroico.

—¡Ah!

—Tengo que salvar a una longa.

—¿Agonizante?

—¡No! Preñada.

—¿Qué?

—Bueno... Yo sé lo que me digo.

En cuanto el señor cura llegó al descampado que se extendía frente a la iglesia de la comunidad una turba negruzca y lastimera de indios se acercó quejosa. Arrastraba a Pablo Tixi y a la longa huairapamushca.

—Taita. Taitico.

—Vea, pes.

—Vea la desgracia.

—¿Qué? ¿Qué pasa, hijos míos? —interrogó el sotanudo propinando hipócrita bendición a la indiada.

—Huairapamushcas.

—Aríii... Huairamushcaaas...

—¡Silencio! —gritó el sacerdote en un arranque de santa indignación. Luego, ganando altura en un desnivel del terreno, envuelto en el torbellino de caras congestionadas en ancestral venganza, de puños cerrados bajo el poncho, de carajos temblorosos en las jetas, habló de la caridad cristiana, del respeto que se debe tener al prójimo, de mil cosas más. Pero en realidad nada pudo conseguir. En cuanto dejaba de hablar, la muchedumbre —sequedad de furia en los labios, rojo diabólico en los ojos, amenaza criminal en el gesto—, insistió:

—Huairapamushcas.

—Aríii... Huairamushcaaas...

«Es cosa grave. Estos no se van a calmar con pendejadas. Tengo que inventarme algo... gordo...», se dijo el cura, y tornándose ladino y misterioso como un brujo en acción, murmuró:

—Siiilencio. Espeeeren. ¡Esperen!

Tal fue la actitud, el tono y la mirada del santo varón que la ingenua timidez de los runas —siempre alerta a la peor desgracia— creció en un monosílabo de escalofrío y de acecho:

—¿Eeeh?

—He oído algo. Algo como una voz.

—¿Eeeh?

—¡Sí! Es la voz de la Virgen. Estoy seguro. Segurísimo —concluyó el sotanudo avanzando hasta el pórtico de la iglesia en actitud de quien escucha un murmullo leve de ultratumba. La muchedumbre, como hipnotizada —tragándose ardor de carajos y odio de maldiciones—, siguió al fraile. Hubo una pausa al llegar al umbral, donde podía aclararse el misterio.

—¡Taita...! ¡Taitico...! —chillaron los runas.

Abrió entonces teatralmente la puerta del templo el cura. En el fondo del recinto, a la luz de una lámpara próxima a extinguirse, se alcanzaba a divisar la silueta de la Virgen. Todos trataron de verla con los ojos desorbitados y suplicando:

—¡Mamitica...! ¡Bonitica...! ¡Shunguitica...!

—¡Un momento! —dijo el sacerdote. Pero la indiada insistió en un alarido:

—¡Mamitica...! ¡Bonitica...! ¡Shunguitica...!

—¡Vuestra madre! ¡La única! —chilló el párroco de Guagraloma dejándose arrastrar por el clamor delirante de la muchedumbre que le rodeaba. Luego continuó:

—Ssshiii. Sssiii... He vuelto a oír su voz. Su voz... ¡Esperen! Les diré lo que me dijo. ¡Ahora! ¿No le oyen? ¡Ah! Están en pecado mortal. No pueden oír. Yo... ¡Yo en cambio!

La casualidad. La bendita casualidad que todo lo puede cuando se presenta, que todo lo transforma en milagro, para el bien o para el mal, apagó en ese momento la lámpara que iluminaba a la Virgen. Fue sin duda una manga de aire que al filtrarse por la puerta que abrió el sacerdote trató de salir en corriente juguetona por los huecos y rendijas del techo desvencijado del templo. En realidad, nada había oído la tropa de yatunyuras, pero en cambio vio con los ojos de su carne pecadora —según la afirmación de frailes y latifundistas— que su ídolo de piedra —herencia de taita curita Alberto Tapia— desaparecía.

—¡No hay Mama Virgen!

—Quiere huir...

—¡No!

—Huir al cielo, de donde vino...

—¡No!

—Eso me dijo. Ella no volverá más si ustedes insisten en castigar a la pobre longa Juana y a su esposo legítimo Pablo Tixi. Matrimonio que bendijo Taita Dios... —sentenció el sotanudo dando íntimas gracias a la Divina Providencia por su oportuna y amable intervención.

—¡Que vuelva! ¡Que vuelva!

—Vendrá siempre y cuando ustedes me juren no molestar más a la pareja de recién casados.

—Arí, taitico. Arfii... Juramos... —interrumpió delirante la masa de indios.

Los brujos, quizá los únicos, presintiendo la derrota de sus métodos, de sus oraciones cabalísticas y de sus brebajes —alivio de un odio ancestral, indefinido—, no aceptaron el arrepentimiento cobarde y baboso de la generalidad. Con amargura íntima de sinapismo en las vísceras pensaron del cura y de la Virgen: «El también es huairapamushca con sotana y corona de santo blanco... Ella también es huairapamushca con cara y traje de patrona grande...»

—¿Juran? ¿Juran por la tierra mama, por la lluvia para las sementeras, por el árbol yatunyura, por los taitas muertos? —insistió el fraile en tono de reto y de amenaza.

—¡Juramos, taitico! —afirmó la muchedumbre cayendo de rodillas. Las mujeres elevaron al cielo las manos juntas, suplicantes.

El párroco de Guagraloma desató entonces a la longa Juana y a Pablo Tixi, les puso en buena armonía con el resto de la comunidad, dio consejos e invitó a todos a entrar en la iglesia.

En el interior del recinto —penumbroso y húmedo— nada había de real y acogedor en ese instante. La dolorosa espina de la culpa y del misterio empujó a la indiada con paso felino. El fraile —hábil prestidigitador de liturgia católica— prendió las luces, y la Virgen de piedra con cara y traje de patrona grande, y los santos de palo, y los ingenuos y dorados adornos del altar, surgieron en todo su esplendor. Un grito como de alivio y queja postró a la muchedumbre. Largos fueron los rezos, convincentes al parecer las lágrimas y los gestos de perdón, mientras en el alma de los brujos, acurrucados por los rincones más discretos y a la puerta del templo —resonancia diabólica de la amargura corchada y fermentada bajo esa cáscara de humildad, de temor y de indiferencia de la gran masa de indios—, hervían viejos impulsos subconscientes: «Todos son huairapamushcas... Los blancos, los cholos, los curas, los tenientes políticos, los santos, las Vírgenes, los rezos, los cantos, las voces, las casas en el pueblo... Como hierba mala aplastan al pobre natural... Huairapamushcas... Bandidooos...»

A medida que maduraba el trabajo en la parcela del
marido, a medida que se familiarizaba con las paredes tapizadas de hollín, con los palos y las soguillas
del techo de paja, con el jergón de cueros y ponchos
viejos, con el olor a boñiga seca y pasto de cuy, con
las ollas de barro, con las cucharas de palo, con los
yuyos medicinales, con la cabuya siempreviva contra
el hechizo, con el fogón en el suelo y con todas las
cosas de la choza, la longa Juana se sentía más y
más huairapamushca. Temor que ocultaba como un
crimen monstruoso. Temor que golpeaba desde sus
entrañas, agobiándola, enflaqueciéndola.
  Una mañana, como todas, tuvo que seguir al marido
al monte. Al entrar en un chaparral, él adelante, ella
atrás, la voz imperiosa del feto estremeció a la hembra: «Chilla, mama... Mamitica... Chilla duro...»
  —Ayayay —se quejó la mujer.
  —¿Qué, pes?
  —La barriga.
  —Ave María. Volvamos a la choza.
  —Un ratito... Espera no más... Ya pasó...
  A los pocos minutos volvió el dolor —alarido íntimo— a posarse en el vientre de la longa.
  —Ayayay.
  —¿Otra vez?
  —Arí.
  Llena de temblores y malos presagios Juana se acos-
tó entre los cueros y los ponchos viejos del jergón.
El runa, entretanto, murmurando frases de enorme
desconcierto, buscó por los rincones, por los huecos
de las paredes el remedio que... Recordaba entre
sombras y vacíos que, cuando murió la madre, el
taita viejo pudo amortiguar los ayes de la moribunda
con un cocimiento de hierbas de monte. ¿Qué hierbas
serían? ¿Qué...? Le pareció estúpido seguir hurgando
por todas partes. Se plantó frente a la longa, que a
esas alturas retorcía cuerpo y queja a cada instante.
La voz de los antepasados le ayudó a salir del apuro:
«Corre a buscar por el cerro a la curandera... Corre,
longo bandido... Que venga breve... Que la pobre está
gritando como chivo...»
  —Ayayay, taitico.
  —Espera no más. Ya voy... Ya voy donde mama
Catota... Ella sabe... —ofreció en un susurro el indio.
  Iluminado por angustiosa esperanza Pablo Tixi cruzó un potrero, trepó la ladera del bosque hasta dar
con la casa de la curandera —una especie de galpón

a la orilla de un barranco—. En pocas palabras
contó a la vieja de lo que se trataba y le rogó que le
ayude.

—¿Irá a soltar el guagua tan pronto la pobre guarmi? Recién no más taita cura le dio la bendición. Sin
amañarse, sin nada, pes... Recién no más... ¿No hizo
mucha fuerza? ¿No le pateaste en la barriga? O será
el Cuichi... O será taita diablo colorado... Huairapamushca es la longa... —opinó misteriosamente mama
Catota.

—Huairapamushca —repitió el indio por decir algo.
Aquello de: «Recién no más... Recién no más...» le
daba vueltas en la cabeza, en el corazón, en los nervios. ¿Qué...? ¿Qué...?

—Vamos. Tengo que ver.

—Vamos.

Cuando llegaron en ayuda de la enferma la vieja
prohibió al indio entrar en la choza:

—Espera no más. Si es el Cuichi, si es taita diablo
colorado, si es..., no han de querer salir viendo al
cari.

—Bueno, mama —murmuró Pablo Tixi como un
autómata. Luego se sentó a la puerta de la choza.
Una amargura incomprensible y un asco por su impotencia le apretaron en el corazón. Clavó los ojos en
el horizonte. Cerros... Cerros... Cerros... No sabía si
su atención vagaba por los campos, por el río, por
el camino, por las nubes, por el cielo o se había en-
rollado y apretaba en su indefinido y oscuro mundo
interior. De súbito —instante menos tormentoso—
surgió en su conciencia el murmullo de la conversación de las mujeres. No pudo resistir. Se arrastró
hasta una rendija que había en la pared lateral de
la vivienda. Las quejas, las voces, el jergón, ella.

—De pujar no más está —insistió la voz de la
curandera.

—Ayayay, mamitica... —se quejaba la enferma una
y otra vez. Tenía una expresión de terror, de niño
asustado. Abría los ojos desesperadamente. Unos ojos
llenos de ansia y de súplica.

Muy tarde, cerca de la noche, menudearon los gritos. El indio volvió al hueco de sus pesquisas. Y a la
luz de la lumbre del fogón y de la puerta siempre
abierta a los sembrados alcanzó a divisar cómo la
curandera, sentada en el suelo y con mimos mater-
nales, examinaba cuidadosamente a dos criaturas
babosas sobre un cuero de chivo.

«Ave María. ¿Cuántos ha parido la longa bandida? ¿Cuántos? Recién no más taita cura dio la bendición. Recién no más...», se dijo el runa perdido en un dédalo de raras sospechas. Luego, sin dar crédito a sus oídos, oyó los comentarios de la vieja:

—Dios guarde. Dios ampare. Guaguas medio blanquitos han salido. Huairapamushcas mismo parecen...

—¡No!

—Sí. Veles no más.

—No sea mala, mama. Pelo negro natural está, pes —protestó la parturienta tratando de arrastrarse en defensa de los hijos

—El pelo no quiere decir nada. En el ojo se ve. Y en el ojo está taita diablo blanco.

—¡Nooo!

—Huairapamushcas.

—¡No, mamitica!

Siguieron hablando las mujeres, largo, duro, mientras el indio se hundía en esa angustia indiferente, idiota —ignorancia de esclavo en la sesera, odio y venganza hinchándose en el corazón— de quien, a pesar de ver, oír y dolerle, no puede darse el lujo de gritar y protestar en la tragedia de su dignidad herida. Se limitó a rascarse la cabeza, a pasarse la mano por los ojos llenos de nubes biliosas, a humedecer sus labios secos y amargos con la lengua, a enmascarar ese tremendo caos que se anudaba más y más en su intimidad con el gesto impenetrable de los suyos.

A la noche, después de cobrar por la asistencia tres gallinas y cinco cuyes, la vieja curandera se despidió del indio con palabras de consuelo:

—¿Qué más quieres, longo? Ya vinieron los guaguas. Ya tienes quien te llame taita, taitico.

—Taita —repitió el aludido sin moverse del puesto donde había acurrucado su queja impenetrable.

Y cuando salió mama Catota, creyendo que llevaba en sus manos sarmentosas el secreto descubierto por ella —taita diablo blanco en el ojo de los recién nacidos—, el indio echó la cabeza hacia atrás, y, con voz ronca de explosión inconsciente, murmuró amenazador:

—Ya... Les aplasto como a gusanos de col... Les aplasto con pata pelada de taita longo yatunyura.

—Nooo. Mama Virgen quiere... Taita Diosito también... El milagro... Lo que dijo... Lo que nos dijo... Ayayay —afirmó la longa Juana con voz débil, llorosa, fila como un cuchillo en el silencio del tugurio y en el coraje del runa.

En respuesta, ilógica al parecer, Pablo Tixi murmuró:

—¿Dónde está Mama Virgen? ¿Dónde está taita cura? ¿Dónde están todos? Solitico como grano de maíz entre las piedras, entre la cangagua... Solitico me han dejado... Aplastar... Aplastar a longos, carajo...

Quiso levantarse con criminal intención, pero algo más fuerte que él, algo que saturaba sus músculos y pesaba en sus nervios, le impidió moverse. Alucinación encendida en la sangre por dolorosos recuerdos, por macabras advertencias, por viejas cicatrices, por sudoroso temor: «¡Cuidado! Taita Diosito... Mama Virgen... Los milagros del cura... El látigo de los patrones que cercan a la comunidad... El teniente político... Los cholos del pueblo... La desconfianza de los yatunyuras... Huairapamushca la longa... La longa metida en el shungo... Huairapamushcas los críos... Los críos malditos... Yo... El ojo de taita diablo blanco... Huairapamushcas...»

En medio de aquel batallar íntimo, deshecha su furia, preso su odio, el runa volvió a oír la voz de la parturienta:

—Taitico. Los guaguas...

Por rara y paradójica curiosidad el indio miró a la mujer, a la mujer que clamaba piedad con sus ojos de vaca enferma, de perro flagelado. Observó también a los pequeños. Uno... Dos... Había pensado aplastarles con su pie deforme. Pero... Bajó la cabeza, dobló los brazos y recogió las piernas bajo el poncho.

A las pocas semanas, en una de las visitas del señor cura a la comunidad, fueron bautizados los mellizos.

—A éste, que dices que nació el primero, le llamarás Pascual. Y a estico, el menos renegrido, le llamarás Jacinto.

—Bueno, amo taita curita —concluyó la longa Juana codeando al marido para que entregue pronto al sotanudo el «agradito» —una cabra y una cesta llena de huevos.

En pocas semanas —sospechas y cuidados inconfesables—, un gesto de amargura y de temor había nacido y perduraba en el rostro de Juana. Por ese mismo tiempo también el indio —flamante padre de familia— se sentía transformado, otro individuo, quizá mucho más viejo, no más indiferente, pero sí más duro y hermético. Había dejado de ser el longo para caer en el taita yatunyura. Ella trató muchas veces de hablarle, sin conseguir su intento. Le hubiera suplicado: «No te pongas así... Perdóname no más que te haya vuelto triste como gallina con mal... Mentira... No hay nada en el ojo de los guaguas... No hay taita diablo blanco... No tener shungo será, pes... No ver que una pobre...»

Una mañana se despertó Pablo Tixi en su jergón al romper el alba y permaneció un buen rato tendido y cavilando. De pronto —terror de pesadilla— ordenó a la mujer que dormía a su lado:

—Quita... Quita a los longos de la cama. Están hediondos. Que duerman lejos... Lejos...

—Taitico —suplicó la hembra cuando se hubo librado del sueño para defender con su cuerpo a los críos.

—Hediondos. No quiero... No quiero...

—Bueno... Bueno, taitico —concluyó ella acomodándose con los hijos entre unos costales viejos y un montón de hierba seca, sobra de los cuyes. Desde entonces durmieron separados. Aquello exasperó más al indio. Los malditos, los huairapamushcas, le quitaban así el placer de las noches sin sueño, el tibio cuerpo ricurishca de la hembra, de su guarmi.

Y cuando tuvieron que ir al trabajo de la minga de las limpias —monte para la leña, pasto para los ganados—, él al ver que ella le seguía cargada de los dos hijos a la espalda, protestó furioso:

—¿A qué traes a los longos, carajo?

—¿Entonces? ¿Qué puedo hacer, pes?

—Todos los taitas de la comunidad han de murmurar, han de maldecir.

—En una sombrita, a la orilla del bosque o en la cerca del potrero, les he de dejar escondidos. Escondidos han de cainar.

—Cainar —repitió el indio. Y como no halló otro argumento trepó por un chaquiñán bufando como toro amatrerado.

En más de una ocasión surgió desde el barro de su tarea diaria —cansado, sudoroso, sediento—, para gritar con las manos crispadas a la india:

—¡Juanaaa! ¡Que callen los longos! ¡Que callen los bandidos!

—Eso mismo estoy haciendo.

—Pronto.

—En la teta están.

Pero cuando la mujer, por cualquier circunstancia no contestaba, el yatunyura, descompuesto y enloquecido, lanzábase a la carrera, arrastrado por un impulso de crueles propósitos, llevando en alto la pala, el azadón o el hacha. Felizmente, al dar con el llanto de los malditos pequeños, tropezaba con la india, su hembra del shungo, que, de rodillas y temblorosa, le suplicaba a gritos:

—¡No, taitico! ¡A ellos, no! ¡A mí pégame, rómpeme la cabeza, desgárrame el shungo, mátame si quieres! ¡Pero a los guaguas de Taita Dios, no!

—¡De taita diablo blanco, de taita diablo colorado!

—¡Nooo!

Así fue acostumbrándose el runa a hilvanar escenas de estúpidos, contradictorios y cínicos perfiles. Como un autómata, al volver del trabajo o de sus correrías por el pueblo y los campos, se acurrucaba sin chistar al amor de la lumbre del fogón y rumiaba amargos sentimientos de odio y de tristeza. Semanas enteras encerrábase en un mutismo de piedra. Y cuando los críos —que a la sazón gateaban por el suelo— llegaban inconscientemente hacia él, gruñía como perro con rabia. A las cosechas —las segundas de su matrimonio— llegaron días de tregua y de olvido. Los sábados por la noche hacía las cargas, y al amanecer del domingo, antes del sol, los vecinos del Guagraloma le hallaban tendiendo sus ventas en el suelo de la plaza para la feria.

—¿Qué vendes, yatunyura?

—Maicito, papitas, huevitos, zambito, zapallito, hierbita de monte, su mercé.

—¿Nada más?

—Tome la probana, caserita.

—¡Ooooh!

—Toda la porción he de dar barato.

Concluidos los negocios Pablo Tixi aplazaba la hora de la vuelta a la choza vagando por las calles infestadas de guaraperías. Entorpecido por el grito salvaje de su corazón al pensar en la mujer y en los hijos no oponía mucha resistencia a la tentación de la embriaguez animal —chicha, aguardiente, guara-

po—. Entraba en el primer tugurio del vicio —olores
a fermento, a bayeta sudada, a leña tierna—, suplicando:

—Caserita, dé, pes, una media botella de puro. Guarapo también dará, después.

—La plata primero.

—Ave María. Ni que fuera qué, pes.

—Chumados ya no hay quien les saque un centavo.

Al final, ebrio como un remolino, a la deriva, en la
noche tenebrosa de los cerros, bajo las sórdidas re-
sonancias de la duda y de la soledad, se arrastraba
el indio hacia las quebradas, hacia las cunetas, hacia
los chaparros. Y no sólo él dormía la borrachera de
piedra a la intemperie. No. Al amanecer del lunes,
decenas de yatunyuras —sin hijos huairapamushcas
en la choza, pero con ancestrales tragedias en el
alma—, saboreando chuchaqui para nausear la vida,
revolvían su último sueño helado a lo largo y a lo
ancho de los caminos y de los campos de la comarca.

Al llegar de nuevo el invierno, con su neblina sin
horizonte, con su garúa de páramo, con sus vientos de
marejada sorda en el bosque, con sus crecientes en
el río, Pablo Tixi volvió a encerrarse entre los duros
barrotes de sus malos deseos. Cuatro, cinco, ocho
horas seguidas. A veces un día entero. Cuando lograba huir —creciente baja en el vado—, como le
era imposible quedarse durmiendo sobre el lodo,
entre la hierba empapada, en el agua de las acequias,
volvía lleno de coraje y maldiciones. Surgía de pronto
como un fantasma de ojos bizcos, jeta babosa, pesada actitud amenazante. A veces Juana reprochábale
en tono maternal:

—Taiticooo.

—¿Taitico? No. No soy, carajo.

Suplique o no suplique la mujer, el borracho se
lanzaba a pegarla, a matarla. Los chicos entretanto,
llenos de espanto y de lágrimas, aprendieron a refugiarse en los huecos que dormían los cuyes o atrás
del montón de leña y boñiga seca para la lumbre,
desde donde miraban sin aliento cómo el taita yatunyura —animal perverso, omnipotente y descomunal—
se complacía en estropear a la madre —regazo tibio,
piel dulce, ternura de tetas jugosas—, desde donde
oían complacidos los lamentos del ebrio al caer al
suelo tronchado por el cansancio, lleno de remordimiento:

—Sin mama, sin taita. Tocarme longa carishina.

Solitico. Ayayay, carajo. Runa bruto mismo soy...
Mala cabeza mismo soy... Correteando por el monte,
por el bosque, por los potreros, por el río, por las
quebradas, para conseguir semejante longa huairapamushca. ¡Huairapamushca, carajooo! Runa bruto
mismo soy... Mala cabeza mismo soy... Taita con guaguas longos. ¡Longos huairapamushcas! Ayayay, carajo. Yatunyura de páramo, de tierra de comunidad,
casteando con india de huasipungo, de casa de patrón
grande, su mercé. Hijos salen una pendejada. Hijos
con taita diablo blanco en el ojo, con pelo de natural,
con culo verde, con cara lavada, con... Runa bruto
mismo soy... Mala cabeza mismo soy. ¿Acaso en tierra
propia no había longas? La Espíritu Cachi, la Rosa
Pilaquín, la Cacuango Segunda, la Luz Yapu, para
revolcar ricurishca en potrero también, en quebrada
grande también, en cueva de monte también, en amaño de choza también. ¿Acaso Pablo Tixi era pelado
como pepa de guaba? ¿Bosque y ejido para la leña y
para el pasto en común no te dije que te he de dar?
¿Parcela con sembrados: maicito, papitas, zambitos,
colcitas, oquitas, melloquitos, no te dije que hemos de
cosechar? ¿Bajo techo de paja, en jergón de cuero
de borrego merino, con ollas de barro, con cucharas
de palo, con cuyes de tierra arriba, con gallinas ponedoras, con vaca mediasangre, con perro bravo para
el forastero, no te dije que hemos de cainar? ¡Longa
carishina! Ayayay, carajo. Runa bruto mismo soy...
Mala cabeza mismo soy...

Pero había noches —las más negras e incomprensibles para la avidez subconsciente de los rapaces— en
las cuales el indio borracho, al pegar, transformaba
la cólera en sádica lujuria, y, con maña de diablo
atrevido, desgarraba los vestidos de la hembra hasta
dejarla desnuda. Luego, al ritmo de los golpes —en
las piernas, en el vientre, en el pecho, en los senos,
en los hombros, en la cara, le cubría amorosamente
con su cuerpo estremecido por extrañas y contradictorias ansias, sobre el suelo pelado, sobre el jergón
revuelto, sobre las boñigas hediondas, bufando de
rabia y de placer a la vez. La angustia que aprisiona-
ba a los pequeños se agigantaba entonces en círculos
de odio amargo, de terror mudo, de temblor envidioso,
profundo. Ella, mama Juana —regazo tibio, piel dulce, ternura de tetas jugosas— murmuraba en esos
instantes, en voz baja —la voz con la cual les acariciaba de ordinario—, palabras de gratitud y de amor,

palabras que quemaban de pasión, para el taita yatunyura —animal perverso, omnipotente y descomunal—. No era posible creer. No. Había que ocultar
para siempre en el olvido de la sangre y de los huesos
aquellas malditas escenas.

Aun cuando a Juana nunca se le ocurrió salir en
busca del marido, aquella ocasión, después de varios
días de espera y de averiguaciones sin buenos resul-
tados, se decidió a ir al pueblo. Un viejo yatunyura
le ayudó a vadear el río. Con la inquietud y la urgencia de sorprender al marido en cualquier recodo,
corrió como en otro tiempo —primeros años de infancia—, carretero abajo, carretero arriba. Cerca de
medio día, después de vagar por los chiquiñanes, por
las quebradas, por las cunetas, por los potreros, entró
al pueblo. A la sombra de una pared derruida, junto
a la cantina de la vieja Candelaria, encontró al indio,
que dormía a pierna suelta.

—Taita desperdiciado. Taita borracho. En el suelo
como perro. Sin aparecer toditicos los días —comentó entre compasiva y retadora la longa Juana, des-
cargándose de los hijos y sentándose humildemente
junto al ebrio.

En la pausa de la espera, a veces gateando, a veces
dando pasos bamboleantes, los mellizos se pusieron a
jugar con el lodo del desagüe abierto. La presencia de
los extraños rapaces abrió la curiosidad y los comentarios del cholerío de Guagraloma. Alguien se atrevió
a interrogar a la madre:

—¿Tuyos son, longa?

—Arí, mama señora.

—No parecen. El pelo también no está del todo
negro. ¿Este indio renegrido que duerme será el taita, pes?

—Arí. Aríii.

—Huevo cambiado parece. Cholitos están —dijo
una vieja que mascaba las palabras con una boca sin
dientes.

—¡Vengan para que vean! —invitó una moza.

—¿Qué, pes, vecinita?

—Guaguas yatunyuras medio blanquitos.

—Cierto. ¿Dónde conseguiste, pes, longa?

—Ave María, mama señora. No diga así.

Las voces despertaron al indio. La increíble presencia de la mujer, de los hijos, del círculo de curio-
sos, agravaron la angustia del chuchaqui.

—Estico es más blanco.

—Iguales están.

—Orgulloso ha de estar el runa.

—¿Tus hijos son? —interrogó una chola de anchos follones dirigiéndose a Pablo Tixi, el cual se hizo el que no entendía. Le pesaban los párpados y los labios hinchados de la larga borrachera, le daba vueltas la cabeza, se le contraía dolorosamente el corazón. Continuaron sin piedad los comentarios:

—Mudo creo que ha sido.

—No habla nada.

—No quiere contestar.

—¿Qué ha de decir, pes, el pobre?

—El pobre shunsho.

—¿Te hizo descuidar la longa?

—Huevo de patrón parece.

—De hombre blanco.

—Qué más se quieren los indios.

—Mejor que el guagua que le salió a la Esperanza cuando pasaron los gringos.

—Ni comparación.

—Pero el unito es más.

—Más...

En ese instante, y en lo más recóndito del alma de los mellizos —imprecisa, pero perdurable—, surgió una grata simpatía, una dulce afinidad con esas gentes que se burlaban sin temor del taita yatunyura. Sentimiento diabólico que había de crecer más tarde como una obsesión taimada frente a la miseria y a la tragedia de la familia.

IV

A LA LUZ DE NUEVOS PERFILES

La vuelta de don Gabrielito —así empezaron a llamarle las gentes de Guagraloma en eco del trato que le daba el señor cura— a la Providencia después de su primer viaje a Quito marcó en él la inicial de su incontrolable transformación —modelo de gran señor latifundista y político que comparte presencia y ajetreos entre el campo y la ciudad—. Tan orgulloso y tan prepotente se hallaba con sus triunfos ciudadanos que no desconfió del origen del dinero del mayordomo, quien, en el momento de firmar las escrituras de la compra del pantano, pagó de contado cuanto había dicho iba a deber, e hizo, entre quejas y bromas, una propuesta formal sobre las tierras de la ladera que limitaba con su flamante adquisición.

—Un algo me sobra en plata —afirmó el cholo.

—¿Todavía?

—Con lo que coja de la Isabel cuando se case. Algo tiene la bandida. Mis animalitos también estoy despostando. Toditicos, patrón. Totidicos... A lo peor...

—Bueno... Bueno... —concluyó Gabriel.

El párroco en cambio trató de halagar al latifundista deslizando chismes y bromas contra el mayordomo entre las barajas del juego del cuarenta una tarde de domingo.

—Hemos tenido una temporada de abundancia en el pueblo —comentó el sotanudo.

—Ajajá.

—El cholo Rodríguez ha despostado todas las semanas. Yo no sé de dónde tantas reses. Es compadre y socio de su mayordomo. ¿Lo sabía?

—Sí.

—En estos últimos tiempos se les ha visto juntos. Juntitos... Buena yunta.

—Está despostando toditicos... —murmuró Gabriel en tono de quien anda metido en la urdimbre del secreto. Luego se dijo: «Se sacrifica por pendejadas el cholo.»

—Con decirle que logró bajar el precio de la carne en las ferias. Yo no he podido vender mis dos bueyes desde hace algunos meses —insistió el fraile. Y consternado al ver que sus intrigas no surtían efecto, pensó: «El ha sido socio de tapada del par de cholos facinerosos.»

—¡Cuatro con falla, mi querido amigo! —gritó Gabriel recogiendo barajas y tantos.

—Está visto. No doy una.

A los pocos días se realizó el matrimonio de Isidro Cari. Frente al altar mayor endomingado de flores y luces, frente al sacristán vestido de monaguillo, frente al señor cura solemne y bisbiseante, los novios, almidonados de importancia, con afán desmedido y grotesco por imitar a las damas y a los caballeros de la capital que alguna vez pasaron por el pueblo, o a los héroes —militares de toda graduación— que admiraron en fotografía de almanaque, se unieron para siempre. Ella lucía feliz y radiante un muestrario de lujos familiares: grupos de perlas falsas en las orejas, gargantillas de corales al cuello, zapatos de color champán y taco alto, blusa de raso manteca con encajes y cintas, anillos baratos —uno de acero contra el hechizo—, follón de paño aurora, acampanado y más arriba del tobillo, pañuelo de seda a la cintura, mantón tirado al descuido sobre los hombros, peineta de brillos sobre gruesas trenzas tiradas hacia atrás. El, un poco sudoroso y acholado, asfixiándose con el cuello de pajarita traído para el efecto de San Martín, fastidiado por los zapatos nuevos, duros, olor a curtimbre, tropezando en sus propios movimientos acostumbrados al poncho, a los zamarros, al acial, sin dar con la actitud —incongruencia angustiosa— que exalte lo distinguido y limpio de su vestido de señor. Una sola cosa dulcificaba su embarazo. Sentíase parecido a don Gabrielito —a un patrón grande, su mercé—. A don Gabrielito, padrino de la ceremonia, el cual, al salir de la iglesia y oír el requerimiento de la muchedumbre —todo el cholerío de Guagraloma— por los capillos, sembró de monedas —diez y veinte centavos— la codicia efervescente en algazara de perros que armaba la chiquillería, mientras las mujeres —jóvenes y viejas— hartábanse de murmuraciones:

—Generoso mismo es don Gabrielito.

—Generoso un diablo.

—Reales no más son.

—Eso mismo.

—Pero nota, vecina, una cosa.

—¿Qué, pes?

—Que está valiendo el afrecho.

—¿El afrecho?

—Como si fuera doncella la carishina... Cintas blancas... Zapato chanpán...

—Cierto, no.

—Guagua tiene.

—Sí, pes. Pero no hay mala que no se case.

—Ni moneda falsa que no pase.

—Se armó. Padrino de buena plata. De buenas tierras. De buena familia.

—De todo mismo.

—Pero por la Salomé es, pes.

—Por la Salomé.

—Viven amancebados.

—Dios me guarde.

—Preñada está.

—Preñada y amancebada.

La fiesta de la boda se prolongó hasta la octava. De lunes a lunes. Dos carretas de cerveza, diez pondos de chicha, tres barriles de aguardiente, cinco botellas de coñac que obsequió el padrino, veinte gallinas y otros tantos cuyes no fueron suficientes para el tiempo y el número de invitados. Caían borrachos hombres y mujeres —por las camas, por cualquier rincón donde se amontonaban costales o ropas viejas, por el suelo, en el sofá amplio y hediondo que había en el cuarto de trabajo de mama Mariquita— para volver a levantarse después de tres, cuatro, cinco horas de sueño, con más bríos y más sed de embriaguez. Al caer unos se incorporaban otros en oleaje de permanente buen humor —cantos, bailes, gritos, bromas, quejas, recuerdos, lágrimas—. Sólo taita curita —figura principal de la farra— hizo su primera retirada —para volver a la tarde— a las tres y media de la mañana del primer día, tomándose, como era lógico, la copa doble del estribo y disculpando su fuga por la misa de las cinco.

El chuchaqui progresivo —crisis y curación automáticas— realizó milagros de ingenio, de promiscuidad, de ternura, de amor, de confianza. Se liquidaron enojos, se destaparon secretos, se evocaron épocas felices, se soldaron amistades, se iniciaron cariños. Salomé —niñera insustituible para la testarudez de don Gabrielito en estado gelatinoso—, besaba y manoseaba al latifundista sin reparos ni vergüenza, como cosa propia. Algo parecido practicaban los novios y también los que en público no podían hacerlo. Mama Mariquita se abrazaba una y otra vez con mama Candelaria, a pesar de la rivalidad por el negocio. Las cholas casaderas eran perseguidas por los mozos entre remilgos y risas. El ardor y los gritos del baile estremecían la casa. Taita curita, recogiéndose la sotana hasta el ombligo, en afán notorio de rehabilitar sus pantalones, saltaba y se retorcía ante la hembra que mejor meneaba las caderas. Dos o tres veces —característico perfil de tuna chola— se ensombreció con bilis de machismo infeccioso, con violencias inoportunas de gentes sin ubicación social, con quejas y maldiciones de íntimo desequilibrio, la sana alegría de la fiesta. Los cholos —jóvenes y viejos—, sin motivo razonable, salían en parejas al carretero, al patio de la casa o al campo a darse de puñetazos hasta la primera, segunda, tercera o cuarta sangre. Mama Candelaria, fermentando como guarapo, discutía acaloradamente —a punto de tirarse los pelos— con mama Mariquita. El cantor de turno —arpista o guitarrista— tarareaba entre lágrimas y bufidos, y terminaba maldiciendo de la suerte agobiado sobre su instrumento. Las discusiones eran gritos, las bromas insultos y el amor carajos y bofetadas. Taita curita, cansado de bailar, de manosear a las cholas y de beber, observaba desde un rincón todo aquello con burla y pujos de hombre civilizado que lucha a duras penas con sus malos impulsos —negros, criminales, libidinosos—. En uno de esos momentos Salomé aprovechó para arrastrar a su latifundista hasta el dormitorio. Luego de estrecharle tiernamente en-

tre sus brazos, tendido sobre la cama, le murmuró
al oído:

—Don Gabrielito. ¿No me oye?

—Sí.

—¿Ahora qué haremos, pes?

—De...

—Estoy preñada. Preñada. Tóqueme.

—Aaah.

¿Hablar? ¿Discutir? ¿Para qué? Entre nubes de vago
asombro Gabriel se disculpó con orgullo diabólico
recordando las palabras del mayordomo: «Nadie le
ha podido hacer el favor. Nadie... Ji... Ji... Ji... ¡Yo,
carajo! Yo, que soy macho donde quiera, como quiera y con quien quiera.»

—Preñada —insistió la mujer.

—Mi hijita —halagó el borracho con repentino impulso de ternura paternal.

—¿Qué hacemos en este caso, pes? ¿Cómo?... ¿Cómo
para trabajar con guagua? Mis hermanas también...

—¡Yo, carajo! —exclamó el dueño de la Providencia
en tono que denunciaba su amparo definitivo.

Con besos, caricias impúdicas y babosa zalamería
Salomé —acholado instinto que se arrastra para defenderse— creyó aportuno pedir, exigir y amenazar
si era necesario al que «le desgració la virginidad»:

—La tienda de la esquina de la plaza está en venta.
Ni caro siquiera piden. Yo tengo unos realitos. Pero
me falta el completo. Me falta...

—¿Cuánto? —dijo el ebrio buscándose la cartera
provista con algo del dinero que abonó el mayordomo.

—Unos...

—Trescientos. Toma.

—Dios le pague, mi bonito, mi taitico, mi patroncito, mi protector —concluyó la hembra envolviéndose
apasionadamente en su latifundista como bejuco de
monte en árbol centenario. Luego, cuando más excitado y deseoso se hallaba don Gabrielito, ella insistió, taimada y voraz:

—Y para aperar a la tienda, ¿quién me ha de dar,
pes?

—Yooo. Mi cholita sabrosa.

—Que no sea cuestión de copas, pes.

—No, carajo.

Antes de que su bonito, taitico, patroncito, protector se ausentase de nuevo a la ciudad, Salomé unió
a su pequeño capital los sucres que pudo sacar a Ga-

briel, y, sin más plazos, compró el negocio que le
aseguraría el porvenir.

Así, las hermanas Cumba, de la noche a la mañana,
se vieron separadas, trabajando cada cual por su
cuenta. Isabel, en las propiedades del marido. Mama
Mariquita en la casa solariega, inconmovible, tras del
poyo del corredor que mira al carretero, ofreciendo
chicha y picantes a la sed de la indiada. Salomé y
Rosa en la tienda de la plaza dando oportunidad al
cholerío para chismes y comentarios de escándalo:

—Las carishinas.
—Las carishinas se han tirado a la vida.
—A la vida buena.
—A la vida mala.
—Jesús nos ampare, vecina.
—Con fogón en la puerta para canelazos, pes.
—Con trastienda para juego de baraja, pes.
—Con dormitorio para las picardías, pes.
—Ahora, con semejante inquietud, qué será de mi
marido.
—Qué será de mi taita.
—Qué será de mi hermano.
—Las carishinas se han tirado a la vida.
—A la vida buena.
—A la vida mala.
—Taita curita cerrado el pico.
—El pico.
—¡Y qué puede decir?
—Es amigo del amo del valle de la Providencia.
—Amigo...

En una de esas vueltas de Gabriel al pueblo y a sus
propiedades se encontró con la curiosa presencia de
un crío —su hijo, según afirmaban Salomé y sus
hermanas—. Un rapaz de ojos negros, párpados hinchados, sonrisa sin dientes, al cual le llamó: «Mi cholito renegrido.» Desde entonces todos los sentimientos familiares del ilustre latifundista se equilibraron
—oportuna compensación— entre la cosa desolada y
superficial del hogar ciudadano y lo primitivo, íntimo
y pecaminoso de la segunda trastienda de su concu-
bina. La primera era pública. Donde los pequeños y
grandes propietarios, donde los cholos enriquecidos
en trance de caballeros, donde los hombres impor-
tantes de la comarca jugaban a la baraja, ahogaban
en aguardiente sus inquietudes y discutían: «Que si
la cantonización de Guagraloma... Que si volverán
los conservadores... Que si quedarán los liberales...

Que si la luz... Que si el agua... Que si el cartero... Que si el boticario... Que si el teniente político... Que si el maestro de escuela...

Entretanto, en la choza de Pablo Tixi crecían los mellizos y se agigantaba el rencor inconfesable de los mayores. Las intoxicaciones de guarapo, las lágrimas con música de sanjuanito, las palizas salvajes, las actitudes sádicas, todo se había vuelto más turbio y espeso. Y con esa insistencia enloquecedora de la duda —de la duda que ha dejado de ser—, un día el indio interrogó a mama Juana:

—¿Quién? ¿Quién te hizo los hijos?

—¿Qué es, pes? Adefesio...

—¿Quién, perra sinvergüenza, manavali, carishina?

—Oooh.

—¡Habla, carajo!

—Nadie.

—El huaira, entonces, Huairapamushcas.

—No, taitico.

—Huairapamushcaaas.

—Taitico.

—Habla. Quémame el shungo. Aplástame como a gusano de papa podrida. Runa no más soy. Runa bruto, mala cabeza... ¿Quién te hizo?

—No sé, pes.

—¿Con quién te revolcaste en el potrero, en la quebrada, en la zanja?

—No.

Ante el fracaso. Sin respuesta que aplaque su desesperación, el indio sintió con extraña furia —deleite y dolor a la vez— que apretaba la garganta de la hembra, su guarmi.

—¡Habla, carajo! —chilló.

—¿Para qué pes, taitico?

—Quiero matar. Quiero hundir el machete. Matando he de ir a la cárcel. Matando he de gozar.

Entre la asfixia, entre el llanto desesperado de los pequeños, entre el ladrido lastimero del perro, bajo el aliento hediondo del macho, la mujer murmuró:

—Arí, taitico.

—¿Quién?

—Taita diablo blanco. Taita biablo blanco, que apa-

reció no más en el bosque. Taita diablo blanco, que
visitaba todas las noches en el galpón, hasta que
mama cocinera de hacienda me hizo la cruz de la
ceniza en la barriga. Taita diablo blanco grande...

En la mente ofuscada del indio creció el absurdo
de lo imposible. Levantó lentamente la cabeza desde
su agobio criminal. Soltó a la mujer como a un trapo. Su mirada —ojos inyectados de furia amarilla
verdosa— se perdió en el embrujo de las candelas
del fogón. Con voz que parecía golpear en impenetrable misterio interrogó:

—¿Cuál taita diablo blanco grande, pes?

—Grande... Grande...

Ante semejante perspectiva —temor siempre intuido, muchas veces comprobado, jamás por la venganza satisfecho—, el indio y mama Juana se sintieron
acoquinados, como si algo hubiera caído sobre ellos
aplastándoles. Hubo una pausa. Ella se arrastró hasta
el jergón para ovillarse entre los cueros de chivo si-
lenciosamente. No podía llorar. El fue tras ella. Solo
y perseguido por algo profundo como una grieta del
cerro, torrentoso como el río, traicionero como el
huaira; por algo que surgía y tomaba presencia en di-
mensión de atávicas tragedias, de fracasos colectivos.

Por la actitud cobarde y tímida que observaron los
mellizos en los padres, por los reproches sin esperanza y las quejas inútiles que oyeron en aquella ocasión, pudieron adivinar vagamente que había alguien
más poderoso y cruel que taita Pablo Tixi. Era taita
diablo blanco grande. ¿Quién...? ¿Quién...? Alguien
que tenía que ver con ellos, con mama Juana, con la
tierra de la comarca, con el cielo, con los runas. «Somos longos medio blanquitos...», pensaron recordando la afirmación de las gentes del pueblo, y, desde
entonces —críos de seis años—, compenetrados de
amargo desprecio, se dieron a la tarea de huir al escondite más próximo del campo, esquivando a las
infernales bravatas de taita yatunyura.

Una tarde, después de volver de Guagraloma con
aire victorioso, Pablo Tixi sacó de un rincón un enorme machete. Luego, tarareando una canción triste y
monótona sentado a la puerta de la choza, frente a
una piedra de agua, se puso a afilar el arma. Juana,
tragándose inquietud y temor, se hizo la desentendida,
y en cuanto pudo huyó por la puerta siempre abierta a los sembrados. Los rapaces buscaron en silencio
el abrigo de las pencas de la tapia para observar có-

modamente. Mas, ante la actitud inofensiva del padre e impulsados por esa ingenua curiosidad infantil, se acercaron para interrogar:

—¿Afilando machete, taitico?

—Aaah —gruñó el indio con asco.

Como el atrevimiento no tuvo malas consecuencias los muchachos se creyeron seguros usando un extraño tono de complicidad:

—Machete bonito, ¿no?

—Bonito —repitió Pablo Tixi como un eco de inconsciente resonancia.

—Bueno, ¿no?

—Bueno.

—Afilando duro, ¿no?

—Duro.

—Toquemos —propusieron a coro los muchachos.

—Aaah —chilló taita yatunyura enseñando los dientes.

—¿Es para cortar?

Sobre el silencio que abrió el runa en ese momento el ruido de la hoja de acero al acariciar la piedra sembró el aire de amenazas —escalofrío en la sangre, cortes de vidrio en la piel—. Los pequeños insistieron tratando de acercarse, de sonreír:

—¿Para cortar qué, pes, taitico?

—Taitico... —dijo el indio con mueca amarga, con pausa criminal, mientras Pascual y Jacinto, al entender su imprudencia, iniciaban un diálogo de preguntas entre ellos, un diálogo de bondad pegajosa con los ojos, de timidez juguetona en las manos:

—¿Para cortar árbol será?

—¿Para cortar rama seca será?

—¿Para cortar la cabuya será?

—¿Para cortar al puerco será?

—¿Para cortar a la gallina será?

—¿Para cortar qué será, pes, taitico?

El indio miró en su torno y aflojó el secreto. Su secreto. No quería ser escuchado por la mujer. Era la culpable. Y lo peor...

—Esto... Estico es para cortar a taita diablo blanco grande. Para cortar el pescuezo. Si le trinco en el bosque no ha de quedar ni pedazos. Sangre hecho chorro. Carne hecho ñuto.

—Oooh.

—Taita diablo blanco grande, ¿no? ¡Carajo!

—Matarás, taitico. Matarás no más —corearon los rapaces con fingido afán de complicidad que ocul-

taba esa burla secreta y vengativa que maduraba día
a día en ellos.

—Arí, longos.

—Tendido en el suelo taita diablo blanco grande,
pes.

—Tendido en el suelo.

Con hipocresía diabólica e increíble ingenio los
hijos de mama Juana exaltaron las esperanzas criminales del taita runa, del taita que araba la tierra,
que traía de la feria el dulce, la sal, el sebo.

Semanas más tarde, después de una tremenda borrachera, Pablo Tixi sacó el machete de su escondite, y, ocultando el arma bajo el poncho, se alejó a
buen andar por el chaquiñán del bosque de la Providencia.

—Ave María. ¿Adónde irá, pes? Corriendo como
toro desmanado, como ashco con mal... —dijo en
alta voz mama Juana al observar al marido. En ese
momento regresaba a la choza. Pascual y Jacinto, que
marchaban a su lado, dándose importancia, afirmaron
a un tiempo:

—A matar a taita diablo blanco grande, pes.

—¿Cómo?

—Arí, mama.

—¿Qué dicen?

—Él... El mismo dijo... Si le trinco en el bosque no ha de quedar ni pedazos... Sangre hecho chorro... Carne hecho ñuto...

—Mentira.

—Así dijo, pes.

—Runa bruto. ¿Qué estará pensando?

—Matar a taita diablo blanco grande cortando el
pescuezo con el machete.

—¿Con el machete?

—Arí, mama.

—Ave María.

—Con el machete que escondió.

—¿Dónde, pes?

—Aquí... Aquicito...

—Venga, mama.

Buscaron el arma en toda la choza. No estaba. La
inquietud de la india se transformó en desesperación,
en monólogo incoherente:

—Se ha llevado mismo. No. ¿Aquí tal vez? Dios guarde. ¿Cómo...? ¿Cómo querrá matar? Sin shungo de
toro bravo. ¿Cómo, pes? Sin fuerza de hombre de látigo. ¿Cómo, pes? Sin papeles de taita teniente polí-

tico. ¿Cómo, pes? Borracho de guarapo. ¿Cómo, pes?
No... No hay en ninguna parte. Se ha llevado mismo.
Se ha llevado para el monte. A cortar leña, a sembrar
camino, a sacar corteza. Animal, bruto. Taita diablo
blanco grande aparece no más como Taita Dios. ¿Eso
no sabías? ¿Eso no te dije? India carishina soy, pes.
India brujeada, huairapamushca. Cuidarás la cara de
taita diablo blanco grande. Quema no más. Cuidarás
la rabadisha. Quiebra no más. Cuidarás las piernas.
Tiemblan no más. Cuidarás el pescuezo. Corta no más.

Los muchachos, en coro o cada cual a su turno,
siempre tras de la madre, murmuraban como en una
letanía:

—No hay, mama.

—Aquicito puso.

—Nosotros vimos.

—Nosotros estábamos chapando.

Cansada de buscar la india se acurrucó llorando
frente al fogón. Hijos y perro le hicieron compañía.
De vez en cuando murmuraba:

—No está. Machete filo. Filo... ¿Cómo para creer?
¿Cómo para soñar? Arma de criminal. Arma de cua-
trero. Cuando taita diablo blanco grande aparece una
dura ansia de miedo muerde en el shungo del pobre
natural... Del pobre yatunyura también... Como muertos en el bosque. Como muertos en la quebrada.
Como muertos en el páramo. Como muertos para que
devoren los gallinazos. Indio bruto...

Mientras tanto, con extraño y misterioso olfato, luego de vadear el río, Pablo Tixi trepó la ladera del
bosque de la Providencia por la misma ruta que siguió la longa la mañana de su desgracia. Llegó a la
cima. Buscó por todos los chaparros, por todas las
cercas, por todos los huecos, por todos los rincones.
Miró entre la hojarasca, hacia atrás, hacia adelante,
hacia arriba, en las copas de los árboles. Hacia el
cielo inclemente. Estremecido de cansancio, acechan-
do en todas direcciones como animal de rapiña, se
apoyó en un tronco. En el tronco desde donde observaba en otro tiempo a su longa, a su longa huairapamushca.

—Aquí... Aquí, carajo... —afirmó en voz alta. Luego
continuó en una especie de alarido ronco:

—¡Aquí, carajooo!

—Ooo... —rodó el eco por la pendiente hasta el
valle. «Hasta la casa de la hacienda de... Hasta el
galpón donde está y aparece taita diablo blanco...

Mama cocinera con la cruz de la ceniza...», se dijo el indio con raro temor que negaba el coraje de su afán por hallar... ¿A quién? ¿A...? Miró hacia abajo. Desdibujada por la distancia, por la hora turbia de la tarde, alcanzó a divisar a lo lejos la casa de la Providencia.

—¡Carajooo! —volvió a exclamar. Y fue de un lado a otro, tronchando a machetazos las ramas que obstaculizaban el camino y las que no obstaculizaban también.

—¿Dónde? ¿Dónde, carajooo?

—Ooo...

—¡Taita diablooo!

—Ooo...

—¡Quiero beberle la sangreee!

—Eee...

—¡Mentiraaa!

—Aaa...

Ascendió la noche desde los huecos, desde los rincones, desde las cuevas. Trepó por los matorrales, por los árboles, por la ladera de los cerros. Crepuscular en el horizonte, azul oscuro en el cielo. Extenuado cayó el runa sobre un lecho de hojas secas que olía a follaje, a sudor, a olvido.

Al amanecer la desesperación de mama Juana complicó los acontecimientos. Enloquecida por el temor recomendó a los críos no salir de la choza. Buscó algo en su torno que en realidad no era nada. Luego murmuró:

—Tardanza de feria no importa. Tardanza de borrachera no importa. Tardanza de trabajo no importa. Pero tardanza de pleito con taita diablo blanco grande. Ave María... Taitiquito...

A todo andar llegó a la Providencia. En el corredor el mayordomo y el escribiente arreglaban las cuentas de una veintena de huasipungueros. Tantos eran los indios y las indias que llegaban por diferentes motivos a esas horas que la presencia de Juana pasó desapercibida. Cautelosamente se acercó a la puerta de la cocina, y, al ver a la vieja cocinera, murmuró en tono de lamento y de perdón:

—Ave María, mama señora.

—¿Qué es, pes? ¿La Juana mismo parece? —dijo la anciana sin dar crédito a sus ojos cansados.

—Arí. Arí.

—¿Qué milagro, longa? Entra un ratico.

—Dios se lo pague.

Una vez en la intimidad Juana contó cuanto conocía y le dictaban sus temores.

—¿Pero cómo, pes? —dijo la vieja.

—¿Cómo también será, mama señora? Con machete afilado. Corriendo salió. A los guaguas ha dicho que tiene que matar a taita diablo blanco grande.

—¡Jesús! Hay que avisar prontito a patrón mayordomo. Taita amito ahora viene poco. Nunca está, pes.

—Por vida suya, mama señora.

Cuando la vieja cocinera y la mujer del indio Tixi refirieron a Isidro Cari lo ocurrido —quejas y medias palabras—, el mayordomo —instinto diligente de perro guardián— comprendió claramente las intenciones criminales del runa. Se echó la falda del poncho a los hombros como cuando iniciaba un trabajo delicado y exclamó:

—¡Atrevido! ¿Quién pensará, pes, que es taita diablo blanco grande? ¡Bruto!

—¿Quién también, pes? —respondieron en coro las mujeres con gesto de profunda inocencia que ocultaba un saber y un miedo inconfesables.

Por las indicaciones de Juana, con la ayuda de los perros y de algunos indios huasipungueros que en ese instante se hallaban en el patio de la hacienda, no tardaron mucho en dar con el yatunyura en el bosque. De inmediato Isidro —prosa e inclemencia del modelo que sorprendió un día en el juez de San Martín—, sin desmontarse del caballo, ordenó a la tropa de runas que rodeaban al criminal:

—Tienen que registrarle toditico.

Atontado, mirando con rencor a la hembra traicionera, al mayordomo omnipotente, a los huasipungueros asquerosos, buscando en su venganza íntima el castigo más cruel, la tortura infernal para los rapaces delatores de su secreto, Pablo Tixi se dejó quitar el machete.

—Veamos, carajo —chilló el cholo, que actuaba de máxima autoridad tomando codiciosamente el arma.

—Tome, taitico.

—Ajajá. El cuerpo del delito. Con esto... Con esto derechito a la cárcel. ¡A la cárcel de la capital! —concluyó Isidro examinando ligeramente el machete y guardándole en una de sus alforjas.

La sentencia llenó de pánico al acusado y a sus verdugos. «No hay crimen para tanta pena», pensaron todos, y, a una sola voz, pálidos y desafiantes, suplicaron:

—No, amo mayordomo. ¡No!

—A eso sí le tienen miedo, runas facinerosos. Crimen grande es querer matar al cristiano.

—No era cristiano. Fantasma parecía... Fantasma... —advirtió, temblando, mama Juana.

—Fantasma... Fantasma... —repitieron en coro indios y mujeres.

—En la capital que declare no más quién es el taita diablo blanco grande.

—Fantasma... Fantasma, taitico.

Se enredó el pánico entre el acusado, las mujeres, los verdugos. Murmullo sordo, sudoroso, hediondo. Por experiencia —cárcel lejana, inaccesible; espera de noches sin techo, sin cucayo; dinero, todo el dinero del mundo para abogados y tinterillos; sentencia de meses, de años, de siempre; red de papeles costosos, de leyes oscuras, incomprensibles— la indiada sabía que era preferible el atropello, la injusticia, la explotación, el látigo, la tortura y hasta la muerte junto a la tierra querida y ajena; junto a las gentes de igual entender, del mismo sentir, de análoga tragedia; junto o cerca a la choza, al huasipungo, a los sembrados de la pequeña parcela, al perro, a la guarmi, al guarapo. Sí. Todo era preferible al asco, a la indiferencia, al gasto de dinero, al olvido y a la lejanía —pocas veces se vuelve— de la cárcel de la capital.

—Tiene... Tiene que ir.

—No, taitico —insistió el coro.

—Nooo, bonitico —suplicaron las mujeres —la vieja cocinera, una longa servicia que había llegado de curiosa y mama Juana— postrándose de rodillas frente al caballo del mayordomo.

—Usted mismo... Patroncito...

—¿Yo?

—¡Justicia de taita mayordomo!

—Como es yatunyura... —objetó Isidro tomando prosa gamonal de patrón grande.

—No importa, pes. Entre nosotros que quede todo.

—¿Pero qué dirá el indio criminal?

—¿Qué...?

Pablo Tixi bajó humildemente la cabeza rumiando venganzas para los suyos: la guarmi huairapamushca, los longos huairapamushcas.

—Bueno... No vendrán después con pendejadas —advirtió por última vez el mayordomo.

—Todos mismo le estamos pidiendo, pes.

—Para que el rosca no vuelva a pensar en el crimen le vamos a dar unos cincuenta látigos. Aquí mismo. Cuélguenle de un árbol. Desnudándole la espalda.

—Cincuenta de los guañugtas —afirmaron los huasipungueros con afán por cumplir de la mejor manera la orden.

Bramaron los aciales sobre el yatunyura colgado como un pelele. El lamento de las mujeres, las maldiciones de los flageladores, la queja estrangulada de la víctima y el silbar de los aciales forjaron ese ambiente de macabra angustia que destila la crueldad humana. La obstinada conciencia de la víctima duró pocos minutos.

—Ya no más, taitico. Ya quedó como muerto. Como trapo viejo —gritó la mujer del yatunyura volviendo a suplicar de rodillas al mayordomo.

—Indio maricón. Clavó el pico rápido.

—¡Por Dios, taitico!

—Si tuviéramos sal y limón no se haría el pendejo.

—Ya no siente nadita.

—Suéltenle, carajo —ordenó, desilusionado, Isidro.

—Dios se lo pague, bonitico —murmuraron las mujeres.

Cuando pudo andar, borracho de dolor y de furia, Pablo Tixi se apoyó en la india, su guarmi gimoteante, y muy por lo bajo le ordenó:

—Vamos a la choza, carajo.

Ella intuyó lo que le esperaba; pero, sin embargo, fue con él. ¿Dónde más podía ir? ¿Dónde más podía pasar las noches y los días? ¿Dónde más le esperaban los hijos?

En vez de olvidar los rencores con el castigo, con la prueba imposible de su venganza, el indio exaltó su odio desviándole hacia los suyos, especialmente hacia los hijos de taita diablo blanco grande. Una vez en su choza nada dijo, se encerró en un mutismo de piedra, amargo, frío —asombroso para mama Juana y para los pequeños—.

Pero un día, libre de la presencia de la india en la choza —a quien se sentía fatalmente atado por asquerosos e incomprensibles sentimientos de piedad y de deseo—, se encerró con los muchachos huairapamushcas el indio yatunyura.

—Ahora sí, carajo. ¡Longos bandidos! —gritó dando caza a los pequeños, que trataron inútilmente de huir por los rincones, de esconderse tras de las boñigas secas y de la leña.

La sorpresa de Pascual y de Jacinto al sentirse

entre las manos monstruosas y bajo el odio encendido de sangre en las pupilas del taita malo no tuvo límites. No sabían, en realidad, si gritar, si pedir perdón, si llorar, si burlarse. Algo espeso como el lodo del pantano, amargo como el tallo de la verbena, angustioso como una pesadilla, les alelaba.

—¡No! Ayayay —gritaron de pronto los rapaces. Los dedos del indio mordían en la carne, en los huesos, en los nervios, en el alma.

—Revuélquense no más como gusanos pisados.

—Deje, taitico —insistieron los críos.

—Eso quisieran, carajo.

—Taiticooo.

—Ahora sí soy taitico, ¿no?

—Ayayay. ¡Mamaaa!

—¡Espérense, bandidos. Ahora... Ahora les hago gritar como chivos mismo.

Unidos por el dolor y por la desesperación Pascual y Jacinto intentaron instintivamente despertar los buenos sentimientos del hombre:

—Perdón, taitico. Nada también te hemos hecho.

—¿Nada?

—Perdón, bonitico.

—Eso quisieran.

Al especular con la angustia infantil el indio miró hacia el fogón, donde las llamas crepitaban bajo el asiento de una olla de barro, y robando el coraje y la crueldad al mismísimo demonio, con orgullo por donde trataba de canalizar los más negros fracasos de su vida vergonzosa, absurda, miserable, contradictoria, tomó pausadamente un leño encendido en la diestra, lo levantó en alto cual tea vengadora, y, gesticulando como un poseso —profunda y bronca vivencia atávica—, gritó:

—¡Longos no más son...! ¡Cholos rucutushcas, carajo...! Hijos de taita diablo blanco grande, ¿no? Con candela de indio voy a quemar el hocico, voy a quemar el shungo, voy a quemar las manos, voy a quemar el pishco, voy a quemar los ojos donde...

—¡No! ¡No, taitico!

—Sólo así no han de devorar al pobre natural... Al pobre natural que no tiene defensa, pes.

Juguete de sus malos instintos y de sus buenos sentimientos —mezcla del demonio, expresión contradictoria—, al acercar el fuego a la cara de los rapaces, Pablo Tixi lloraba. No hubiera podido decir si de furia o de pena.

—¡Taitico!

—En la boca. Así no contarán más los secretos de...

—¡Nooo! —protestaron los mellizos esquivando con habilidad y atrevimiento inusitados el fuego que estuvo a punto de achicharrarles los labios.

—Longos desgraciados. Ahora verán... —vociferó el indio, sin poder saciar su intento.

—No. No... —patalearon los rapaces.

—Conmigo se han puesto, longos mala entraña.

En el vértigo de una urgencia sin límites, al borde de todas las crueldades, dominó con violencia brutal a los críos. Luego ató con una soga las manos indómitas, convulsas. Victorioso murmuró:

—Muévanse, bandidos.

—Ayayay.

—Los brazos...

En lo más vivo y crepitante de las llamas —haz de leña tierna, haz de dedos pequeños, temblorosos, crispados—, el indio yatunyura, enloquecido como un borracho, feroz como un animal salvaje, metió las manos de los muchachos que tenían en la pupila a taita diablo blanco grande.

—¡Ayayaaay! ¡Mamiticaaa!

—Longos carajos. Quiero... Quiero que se chamusquen el cuero medio blanquito.

—¡Arrarray!

—Medio blanquito.

—¡Arrarraaay! Arra...

Ni el pataleo frenético, ni los gritos, ni las quejas, ni el olor a carne quemada, ni el humo asfixiante del fuego amortiguado, ni el ladrido lastimero del perro, que raspaba en la puerta, conmovió y aflojó tanto al verdugo como el desmayo de las víctimas.

—Longos... Longuitooos... Quieren asustar al pobre taita runa, ¿no? Haciéndose no más están... Ya retiré todo lo de la candela... ¡Basta!

Aquel silencio chirle de los muchachos —profunda pesadilla— acabó por transformar la furia criminal de Pablo Tixi en pánico morboso. Y, como de costumbre —vieja fórmula de huir ante los problemas difíciles—, abandonó la choza y anduvo emborrachándose por el pueblo cerca de una semana como en casos análogos. Cuando volvió —no tenía adónde ir, no tenía en dónde trabajar, todo le era hostil—, la india le habló en voz baja, resentida y llorosa; los mellizos —extraña venganza de su derro-

ta— le enseñaron calladamente las manos llenas
de quemaduras y de ampollas; el perro instintivamente meneó la cola, pero luego ladró al amo cruel
como si se tratara de un extraño. A los pocos días
todo parecía lejano y olvidado. Sólo las llagas de
Pascual y de Jacinto se aferraron y crecieron hasta
los codos con fiebre alta por las noches, con latidos
de pus en las axilas, con dolores en las articulaciones, con angustia que profundizó más la burla y el
odio secretos hacia taita yatunyura en el alma infantil.

Debido a la magia de las compensaciones y de las
nuevas propiedades Isidro Cari y su mujer resbala-
ron por una etapa de transformación paramental,
algo que ellos llamaban o creían ennoblecimiento de
sangre y de rango. Isabel tomó a su servicio dos longas güiñachishcas para la crianza del primer hijo del
matrimonio —el niñito, su mercé—, y para que los
domingos le sigan a misa de doce con el reclinatorio
al hombro. Además, cambió el follón por las polleras
y las trenzas por los rizos y copetes. También el
cholo mayordomo abandonó los pinganillos, los zamarros, acomodándose con mayor desenvoltura en el
calzón de montar estilo patrón grande y en las botas
de cordones. Dejó de beber chicha y guarapo y se
emborrachó de cuando en cuando con cerveza. Mas
la inoportuna intervención de la Virgen —milagros
anuales de la Patrona del pueblo—, desvió un poco el
lento y pacífico progreso hacia el latifundismo total
de la familia chola.

Fue en la fiesta grande, después de la misa y de la
procesión. Como todos los años, el párroco, al ritmo
de cohetes y camaretas, arrastrando oro de estolas
y casullas, entre nubes de incienso, lluvia de flores,
latinajos y agua bendita, colocó a la Virgen —talla en
madera, vestida y revestida de sedas pesadas, cintas,
diadema de plata, estrellas de lentejuelas, tules, encajes, en un altar improvisado en el pretil —tribuna
para expender milagros de oportunidad—, con el fin
de que escuche más de cerca y se mezcle al cholerío
de Guagraloma y a la indiada de la comarca. A la
indiada que llegaba por partes y entraba en la plaza a

sus rogativas a diferentes horas de la mañana —cada grupo con su rito característico—. Los del páramo en atronadora bullanga de cuernos, tambores y alaridos, luciendo zamarros, bufanda, poncho a rayas. Danzaban y se movían en una especie de juego —batalla de huasca, lazo y acial— violento, valeroso, sádico. La música y los latigazos silbaban con ronca altivez de viento entre crestas de roca y lava endurecida. Los gritos se elevaban en tono de maldición y los pasos del baile en saltos epilépticos. Coraje que no tardó mucho en caer de rodillas ante el altar del pretil, con humildad y cobardía de perro herido, con hediondez de bayeta de guagua tierno, con babosidad de lombriz. Pequeños, tristes, derrotados. Los del valle deslizándose luego en tropa lenta, parsimoniosa, hasta el centro de la plaza —disfrazados con máscaras de alambre, pelucas de cabuya, altas diademas y anchos pectorales adornados con cuentas de vidrio, espejos, latas caprichosas, papel dorado—, donde se abrían en círculo y danzaban con zapateo machacón de una especie de sanjuanito, llevando cada uno a la diestra el extremo de una cinta de vivo color que, en conjunto y en vértigo giratorio, tejían y destejían en un alto palo central todo al embrujo de la música de pingullos y rondadores de carrizo. Como los del páramo, también éstos, en un momento imprevisto, derrotaron su alegría ante la Virgen alzándose la careta para llorar, para moquear, para arrugarse en quejas y para confundirse en la masa de fieles que les había precedido. El orgullo de los yatunyuras se destacaba y subrayaba en el lujo de los alcaldes y de los brujos —varas de mando con puño, cadenas y medallas de plata, amuletos de acero, cuernos pintados, plumas vistosas—. Ingresaban en la fiesta blandiendo pequeñas ramas de su árbol tutelar al compás del monótono y angustioso carnavalito de sus flautas y sus tambores. En lo más caliente del baile —remolino de manada— y antes de arrastrarse ante la Virgen —para ellos huairapamushca en el subconsciente—, se azotaban con furia los unos a los otros —morbosa acción expiatoria por traicionar su idolatría—, usando como látigo las ramas que portaban.

A la tarde, con saña y crueldad de gente que quiere hacer valer su machismo, el cholerío —cholos mayordomos, cholos administradores, cholos negociantes, cholos artesanos, cholos sacristanes, cholos sin oficio ni beneficio, cholos a pie, cholos a caballo, cholos ar-

mados, cholos desarmados— despejaba la plaza y con-
quistaba a dentelladas y a garrotazos un puesto para
colocar muy cerca de la oportunidad del milagro a
sus enfermos. La algazara se tornaba entonces delirante, caótica:

—¡Fueraaa! ¡Fuera de aquí, indios carajos!
—¡Por ese lado también!
—¡Ahora! ¡Sin miedo!
—Un ratico... Un ratico hasta que vea Mama Virgen.
—¡Arrástrenles! Toda la mañana... Nosotros...
—Hasta que compadezca Mama Grande.
—¡Qué, carajo! ¡Macháquenles!
—Un raticooo.
—¡Nada! ¡Fuera!
—Enderezando estaba el torcido. Curando estaba la
llaga.
—¡Duro! ¡Indios no más son!
—¿Dónde dejaste al guagua?
—¡Ya corren! ¡Huyen como diablos!
—¿Dónde dejaste a taita viejo?

Torcuato Rodríguez, como todos los años, colocó
a su mujer —la pobre postrada—, lo más cerca que
pudo del altar. Asfixiaba el gentío, el murmullo, el
olor. «Esta vez será. Esta vez será... Dos misas y una
fiesta te ofrezco ahora que tengo un poquito de plata
de donde conseguir si me haces el milagro...», se dijo
el cholo observando con ojos llenos de lágrimas a la
Milagrosa; luego, volviéndose violentamente hacia la
enferma, le advirtió en desentono cómico:

—Rogarás bien, pes. Con fe. Con amor. Uno tiene
que poner de parte para cualquier cosa. Cuando sien-
tas ese hormigueo que dices haber sentido otras veces, harás un esfuerzo por levantarte. Un poquito siquiera. Un algo...

La chola paralítica, más pálida e inmóvil que de
ordinario, sentada en un viejo sillón de brazos de rústica y renegrida madera, rodeada de los hijos —del
menor al mayor—, en vez de hallar alivio y consuelo
en las palabras del marido, las saboreó amargas, tor-
pes. Hizo un gesto resentido de niña emperrada y
murmuró altanera:

—¿Acaso no hago lo posible? ¿Acaso todos los días
mismo? ¿Acaso...? Cuanto... Uuu...

—Ya te vas a poner como guagua. En la puerta del
horno. Delante de Mama Virgen. Ese carácter te per-
judica. Si contara no creyeran —se lamentó Rodríguez
tratando de olvidar y esconder a la vez el centenar

de desilusiones sufridas por el mismo anhelo con las brujas, con las curanderas, con los remedios caseros, con las recetas del boticario de San Martín, con todo lo divino y humano—.

Los hijos, expertos mediadores por experiencia en las disputas familiares, intervinieron, cada cual a su turno:

—Mamitica, no se ponga así.

—Hágalo por nosotros.

—¿Cuánto hemos pedido? ¿Cuánto hemos rezado? Y, ahora su mercé...

—Verá cómo es grande la misericordia.

—Verá no más.

La actitud fría y resentida de la mujer se ablandó un tanto al sentir los labios y las lágrimas del menor de sus hijos humedeciéndole las manos. Y también ante la insistencia suplicante del marido:

—Con fe. Que te haga andar. ¿Qué le cuesta a la bonitica? ¿Qué le cuesta a la Milagrosa, pes? Nada. Eso debes entender.

—Sí, entiendo. Pero...

La muchedumbre, apiñada y expectante, olía a fruta podrida. Alguien inició un murmullo que fue creciendo en olas sucesivas hacia el altar. Sudaba y murmuraba cosas raras la gente. Unos esperaban en éxtasis, otros chillaban como endemoniados.

Con recelo e impotencia la mujer de Rodríguez miró en su torno, y, al notar que los hijos y el marido le observaban con ansiedad y ternura, no pudo evadir un sentimiento de culpa. «Yo no... Muchas veces... Quiero... Quiero... Mis pecados... Mis grandes pecados... Te he pedido perdón... Perdón», se dijo con fuerza de lágrimas, con fuerza que le hormigueaba en todo el cuerpo.

—¿Ya...? ¿Ya está llorando...?

—Oooh.

—¿Ya siente algo, mama?

—Oooh.

—¡Más...! ¡Más...! ¡Con fe...! ¡Con todo el shungo...!

Ante la exigencia estúpida y amorosa de los seres queridos, tratando con todas sus fuerzas de morir o de andar, la chola paralítica sintió que sus manos se prendían con furia de blasfemias y oraciones a los rústicos brazos del asiento, con furia de sudor copioso.

—¡Vean!

—¡Está sudando!

—¡Colorada también está!

—¡Sudando! ¡Sudando!

«Virgencita mía. Milagrosa. Quiero... Quiero, pes...
Te pido perdón. Perdón por mis pecados. Pero guaguas pecados no más son... Los del Torcuato... ¡Oh!
De ésos no tengo la culpa... ¿No me oyes? ¿Sí? ¿Me
dices que sí? ¿Entonces puedo? Puedo... Ahora mismo...», pensó la mujer de Rodríguez sintiendo una
rara tibieza en las piernas, un extraño calor que se
confundía con los gritos de la muchedumbre.

—¡Con fe! ¡Que te haga andar! ¡Pídele...! ¡Píde-
leee...! —chilló con gesto de máscara de pesadilla el
marido de la enferma.

«¡Ya...! ¡Ya le estoy pidiendo, pes, carajo...!», respondió mentalmente la chola en el colmo de la desesperación por la urgencia de los suyos y del coraje
íntimo de su ruego.

En ese momento el párroco, seguido por coadjuto-
res y monaguillos, entre nubes de incienso, rutilar
de casullas, lluvia de chagrillo, subió al altar, junto
a la Virgen, y desde esa tribuna vistosa y celestial,
después de murmurar algo en latín al oído de la Milagrosa, echó largas bendiciones al cholerío. Al cholerío, que cayó de rodillas en epiléptico fervor de esperanza, de súplica, de alaridos:

—¡Mamitica! ¡Bonitica! ¡A mí primero! ¡Para eso
te di una misa vendiendo mi postura nueva! ¡Shunguitica! ¡Quítame los tumores! ¡Te entrego a mi guagua! ¡Virgencita! ¡Maldición para la adúltera! ¡Que
olvide! ¡No me haces caso! ¿Hasta cuándo? ¡Quiero
trabajo! ¡Levántame del suelo! ¡En el lodo vivo! ¡Mamitica! ¡Se me va la sangre! ¡Misericordia! ¡Caridad
para el pobre! ¡Misericordia para el humilde! ¡Nosotros...! ¡Vooos!

Al hormigueo de Trinidad llegaban incansables, en
ráfagas viscosas, llenas de urgencia —pulso afiebra-
do de la tragedia común—, las voces. Imposible resistir a semejante torrente. Era el clamor amigo,
familiar, íntimo, que lo golpeaba en la sangre. De pronto creyó soñar, estar suspendida por alguien. Por alguien impalpable que le empujaba hacia adelante,
que le llevaba, como en otro tiempo, a caminar entre
el tumulto de hombres acoquinados por la miseria
y por la impotencia y de mujeres alharaquientas y
tristes. Cual gusano que levanta con dificultad de
ciego la cabeza se estiró la paralítica. Se estiró alta,
flaca.

—¡Se para! —gritó uno de los hijos.

—¡Milagro! —corearon las pocas gentes que rodeaban a la familia. La gran mayoría de la muchedumbre —atrapada en la pendiente de su propia esperanza— no tomó en cuenta el caso y siguió con sus denuncias, con sus ruegos, con sus gritos.

—Así... ¡Así! —murmuró con sorpresa infantil de increíbles ojos redondos el marido.

—¡Milagro, mamitica!

Sosteniéndose en el cordón del éxtasis devoto y en un ardiente impulso de la voluntad Trinidad dio uno, dos, tres, cuatro pasos, y, al dar el quinto, quizá aturdida por el comentario lloriqueante del marido y de los hijos —presencia tierna y amarga a la vez que exigía más de lo posible—, quizá acobardada por los fracasos que clamaban en su torno, sintió que se hundía en un pantano, que le faltaba el suelo. Dejó caer su arquitectura bamboleante y se quedó tendida como un pelele descoyuntado.

—¿Qué fue?

—Ahora...

—¿Qué pasó, mamitica?

—El milagro...

—Trinidad. Soy yo. Tu marido. Parece... Parece que nos va a oír la Virgen.

—Parece que nos va a oír... —repitió a media voz la enferma con amargo rubor y turbia desilusión. Le abandonaban poco a poco las fuerzas del hechizo milagroso, la sangre dejaba de circularle atropelladamente. Perdida de nuevo...

—Mamitica.

—Habla, pes. No te quedes tendida como guagra cansado. Tan lindo que te pusiste a caminar.

—Tan lindo —afirmaron en coro los hijos.

—Levántate. Apura breve. No seas mala. No me hagas... No nos hagas sufrir.

—¿Cómo, pes? No puedo.

—¿Y el milagro?

—¡No puedo! —exclamó la mujer incorporándose a medias con desesperación que era queja y despecho.

—Tienes que poder —dijo el cholo Rodríguez con torpe insistencia.

—¡No!

—¡Síii!

Entre la disputa de la paralítica, que negaba desde el suelo poder seguir deslizándose en el milagro —la-

bios secos, pupilas de noche tormentosa, pergamino
de espanto en la piel, ronquido de fiera agonizante
en la garganta, bambolear de nervio roto en la cabeza— y la testarudez afiebrada del marido —dedos
crispados, palabras que quieren machacar, espesa espuma en las comisuras de la boca, fatiga de imposible—, las pocas gentes que rodeaban a la familia
hurgaron sin demora en las causas del estrepitoso
fracaso, de los motivos que movieron a la Divinidad
a retirar su misericordia. «La bondad que llega del
cielo no puede caer en beneficio de las almas en-
tregadas al demonio de la codicia, del robo, de la
traición a los amos...», pensaron a un tiempo los cholos y las cholas que conocían los turbios negocios de
Rodríguez con el mayordomo de la Providencia.

—¿Cómo...? ¿Cómo tiene cinismo de pedir don Torcuato sin estar en gracia de Taita Dios? —vociferó una
vieja de aspecto de bruja y harapos de mendiga, ade-
lantándose a la opinión general.

—¿Cómo...? ¿Cómo...?

—Que confiese las culpas del pecador y se purifique.

—Siempre habrá perdón.

—Siempre.

—¡Que diga! ¡Que hable! ¿Dónde está?

El acusado, bajo el peso de sus remordimientos,
más vergonzosos y acibarados al comprobar que todos sabían de sus culpas, y, sin duda, le envidiaban
—hasta los personajes de la Corte Celestial—, respondió mentalmente: «Aquí... Aquí...»

—¿Dónde?

«A lo peor soy yo... Le dije al Isidro... Le supli-
qué... Pero los guaguas, la postrada... Pecados de
a real... Hay peores... Conozco...»

—El demonio... El demonio...

«En mi corazón... Metido... Puedo arrepentirme...
Pedir perdón... ¿Si no habla el Isidro...? ¿Quién?»

—Que no se oculte. Que no se haga el tonto. La
Milagrosa sabe. Taita Dios también.

«Ellos... Arriba... Me juzgarán como criminal, como
sacrílego... Estoy condenado... El infierno me da en
la cintura como a las almas del purgatorio... Los diablos en la noche... Los diablos en la muerte...»

—Que confiese para que vuelva la gracia de Mama
Virgen y pueda levantarse la enferma.

La aludida, desde el suelo, donde había sido olvi-
dada, miró con súplica infinita al marido, a él, precisamente a él. Los hijos...

«Ellos saben... Son crueles con el pobre taita... Me devoran con los ojos... ¡Ah!, pero lo que no adivinan es que... Estoy dispuesto a sacrificarme por ella... No tiene ninguna culpa... Yo... Yo y el Isidro... ¿Qué baza? ¡Ilumíname, Taitiquito!»

Instintivamente —alocado gesto de girar en su torno, de mirar hacia el cielo, de agitar las manos— el cholo Rodríguez buscó entre la muchedumbre la ruta de su arrepentimiento. Más allá del charco de cabezas y de brazos en alto —amenazantes los que le rodeaban, en imploración a la Milagrosa los que aún no conocían la tragedia—, como en el fondo de un horizonte brumoso —quizá puesto por la sabiduría oportuna de Taita Dios—, frente a la cantina de las Cumba, caballero en brioso retinto, se erguía la figura de don Gabrielito.

«Un aviso del cielo... Una oportunidad para salvarme... Para levantar a la paralítica... Mi paralítica...», pensó el pecador aterrado por las amenazas de los suyos y obsesionado y ebrio por la perspectiva del milagro completo. Luego afirmó:

—A él... A él, que es el perjudicado.

Y al abrirse paso entre la muchedumbre cien voces —corriente central de un río— le impulsaron —apoyo y coraje— a ese afán, a ese sacrificio, que a última hora le había trastornado:

—Que confiese.

—Que diga.

—Que se arrepienta.

—Nunca es tarde.

—Nunca.

—Por la Trinidad.

—Por todos mismo.

Sudoroso, cortando las palabras con fatiga de inquietud y temor, llegó el cholo Rodríguez frente al dueño de la Providencia. Con violencia grosera, idiota, se prendió a las bridas del caballo.

—¡Está borracho! —exclamaron los señores latifundistas que conversaban con don Gabrielito. Pero Torcuato, temblando de pies a cabeza, enmarañados los cabellos —había perdido el sombrero—, descarnadas las mejillas, empañados los ojos, corriéndole orinas por las piernas —reacción de perro acobardado—, en peligro de dar con su humanidad en tierra por los saltos del animal, afirmó:

—Perdóneme, por caridad. Perdóneme para que la Virgen le haga andar a mi mujer.

—¿Qué dice?

—He pecado, señor. Por eso... Por eso la Milagrosa no quiere que la Trinidad. Taita Dios es testigo. Con el Isidro fue. Con su mayordomo mismo. Con él... Ambos somos culpables...

—No entiendo.

—Le robábamos, señor. Empezamos talándole los bosques. Más de lo que usted buenamente cobraba... Y del páramo también... De donde nadie sabe cuánto ganado existe, sacábamos para la venta de cuatro a seis cabezas mensuales... De su páramo, pes... Las utilidades nos repartíamos...

—¿Con el Isidro? —chilló el latifundista.

—Sí. Nos repartíamos igualito. He pecado, señor. Usted es bueno. Perdóneme para que la Virgen me perdone y le cure a la Trinidad.

En respuesta, Gabriel Quintana, lleno de santa indignación, rasgó bárbaramente con las espuelas al caballo, obligándole a encabritarse y tirar al suelo al cholo fastidioso y cínico. Luego, sin decir nada, con trágico propósito que podía leerse en su palidez, en la furia contenida de sus labios, se alejó por la esquina más próxima.

Mientras se levantaba del suelo el cholo Rodríguez, arrugado, viscoso y hediondo como una basura, parte del gentío que llenaba la plaza y que se había congregado en torno al nuevo incidente se puso a murmurar del corazón poco caritativo del dueño de la Providencia:

—No abrió el pico. Pálido no más estaba.

—¿Acaso se iba a desdorar con el perdón?

—Si perdonaba, la Milagrosa tenía que cumplir.

—¿Y si por cualquier cosa no pasaba nada?

—Tal vez por eso...

—Como dicen que es tan caballero.

—No quiso ponerle en aprietos a Mama Virgen.

—¿Ella andará, pes, en tratos con patrones liberales?

—Ni misa oye.

—Pero con el señor cura hacen yunta de copa y baraja.

—Callen no más. A lo peor van con el chisme.

—¿Quién, pes? ¿Nosotros mismos?

—¿Y adónde iría con semejantes bilis don Gabrielito?

—Bilis para morder.

—Bilis para matar.

—¿Quién pagará los platos rotos?

—¿Quién?

Por el camino de la Providencia, Gabriel encontró a Isidro, que iba al pueblo, a pie, entre una veintena de indios y cholos. Frenó con violencia a su caballo, y, mirando con fulminante altivez al mayordomo, dijo:

—¡Cholo ladrón! ¡Indio sinvergüenza!

—¿Yo...? —alcanzó a murmurar el aludido retrocediendo para huir. Fue su reacción instintiva, única. En realidad, no sabía de lo que se le acusaba, pero...

—¡Hijo de puta! —continuó Gabriel tirando el caballo sobre las gentes que acompañaban al mayordomo.

—Patrón...

—¿Patrón? Hipócrita. Después de haberme portado como un padre. Después de...

—¡Me insulta sin dar motivo! —chilló el cholo tratando a toda costa de averiguar.

—¿Sin dar motivo? Acaba de declarar Rodríguez en público, ante la Virgen, todos los robos y las infamias que me han hecho.

A esas alturas de práctica latifundista, de trato respetable en la ciudad y respetabilísimo en el campo —patrón grande, amigo, su mercé—, de atropellos sin control, de preferencias y honores injustificados —«por cuna y por micuna»—, de derroche obligatorio en favor de las apariencias e imitaciones y de tacañería en lo fundamental, Gabriel Quintana había perdido aquellos escrúpulos morales y aquellas observaciones inteligentes de sus primeras cartas al llegar a la Providencia. Envuelto en una lucha sórdida por mantener un clima de privilegios exclusivos que en una época no muy lejana —remota para él en su transformación— los sintió prestados, se enardecía de furor cuando alguien —propio o ajeno— trataba de mellar su nobleza, su dignidad, sus intereses. Había cambiado al ritmo de la estimación que le otorgaron o aparentaron otorgarle los de arriba y los de abajo. En realidad, al saber que su mayordomo —algo suyo, de relativo valor, más que un indio, menos que una vaca de pura sangre— le traicionaba, había deseado acabar a latigazos con él, con ese bicho que se defendía, gritando:

—¡Mentira! ¡Mentira, patrón!

—¿Cómo mentira, carajo?

—Así mismo es el compadre. Una marica. Lleno de

engaños. ¿Cuándo, pes? ¿Dónde hemos hecho nada?
—interrogó Isidro con cinismo de nuevo cuño —fa-
tuidad de casa de teja y buenas cuadras de tierra.

—¡Cholo hipócrita! ¡No quiero más! Mañana mismo
entrega la hacienda a otro mayordomo.

—Imposible, patrón. Todo es calumnia. Que me
prueben. No hay motivo para... Después de tantos
años...

—Tantos años de robo.

—Que me prueben, patrón —insistió con fingida
bondad el cholo prendiéndose mañosamente a las bridas del caballo —como lo hizo su compinche Rodríguez— hasta encabritarlo.

—¡Carajo! —alcanzó a gritar el dueño de la Providencia bamboleándose como un pelele sobre la montura.

De aquella lucha al parecer desigual y aparatosa
Gabriel quedó en tierra. Trémulo se levantó del suelo, y, empuñando el látigo de tres correas —amigo in-
separable por ese entonces—, con deleite criminal,
avanzó hacia Isidro, que esperaba en medio del camino. La tropa de indios y cholos espectadores, ante
lo que se avecinaba, tejió un diálogo mudo, un diálogo de aquellos que sin decirse nada con los labios
todo se oye y se responde con los ojos y el gesto. En
coro, a un tiempo para transmitir mejor, pensaron
indios y cholos del mayordomo:

«Cuidado... Cuidado, hermano... Déjale con la prosa... Déjale con el orgullo... Ya vendrá una oportunidad mejor.»

«¿Por qué? ¿Acaso no soy macho para defenderme,
para beberle la sangre? Está solo. Ustedes están conmigo. Ahora...», propuso Isidro Cari con actitud de
perro inofensivo, mirando por lo bajo a sus amigos,
los cuales, acholados por el temor de atacar al todopoderoso de la comarca, dividieron automáticamente
el impulso fraterno del primer momento. Los chagras
de Guagraloma disculparon su cobardía atacando a
la indiada:

«¿Quién sabe si los roscas se decidan por nosotros?
Son unos puercos. Además... El desquite, la venganza
dormida, lo que les hemos torturado en favor de los
patrones, de los dueños de la tierra, de los dueños de
Dios, de los dueños de la ley... No podemos confiar...»

Los indios, a su vez, recelosos, fuera de todo sacrificio en favor de sus eternos verdugos, con indiferencia morbosa, pensaron, mejor dicho, sintieron:

«¿Cómo, pes, sacar la cara en defensa de taita mayordomo? El mismo... Con acial, con palo, con cuchillo, con candela, nos ha machacado, nos ha castigado, nos ha hecho sangre en la carne, cicatrices por todo el cuerpo, gritándonos como diablo colorado: "Patrón, amo, su mercé, es como Taita Dios, como Mama Virgen, como río crecido, como terremoto de volcán, runas atrevidos, criminales, brutos." El mismo, pes... Ahora nosotros, pobres... ¿Con qué valor? ¿Con qué shungo? Todo nos han quitado...»

Y al borde de la venganza del amo —el látigo en alto— un diálogo de raros perfiles como de expiación ancestral, un diálogo entre el coro de cholos —sin indios— y el mayordomo resignado:

«Es el patrón, Isidro.»

«Sí.»

«Un patrón te dio parte de la sangre que llevas.»

«Sí.»

«Esa sangre es tu orgullo.»

«Sí.»

«Un patrón te dio la casa, la comida...»

«Sí.»

«El te enseñó a vivir, a existir...»

«Sí.»

«Un patrón es nuestro profundo deseo.»

«Sí.»

«El tuyo también.»

«Sí».

«¿Entonces para qué?»

«¿Para qué, carajo?»

«Hay que esperar nuestra hora.»

«Esperemos.»

«Solapadamente.»

«Sí. Solapadamente.»

Suspenso entre voces ajenas y protestas íntimas, clavado en mitad del carretero, el cholo mayordomo se quedó mirando cómo el caballo del amo huía con las bridas sueltas por el potrero más próximo, mientras Gabriel, lleno de santa indignación y justa omnipotencia, le flagelaba con el látigo de tres correas, en la espalda, en los brazos, en la cara.

V

SUELTOS DE LA MANO DE DIOS

La tarde de aquel día, oscuro para él, Isidro Cari se envolvió en sus malos pensamientos. Imposible definir de una sola vez el estado de su ánimo. ¿Era pena? ¿Era angustia por su futuro? ¿Era rencor por el castigo recibido? ¿Era remordimiento por sus culpas? ¿Era una vaga sensación de vacío por marchar suelto de la mano de Dios? ¿Era nostalgia de la Providencia? ¿Era el rubor de haber sido flagelado como un indio? Quizá era todo junto, todo mezclado y roedor. Quizá el recuerdo de su vida pasada —huella sentimental— se le enroscaba en el pecho, en la garganta, en las articulaciones, asfixiándole, desorientándole.

Sin tomar en cuenta los comentarios de la mujer, la cual al enterarse de lo sucedido se puso como una Magdalena de lágrimas y de estúpidos reproches y recomendaciones, el cholo, a la noche, fue al galpón de uno de sus traspatios en busca de su caballo paramero. Y escondiendo el machete bajo el poncho, el machete que un día robó al indio Tixi, salió al camino. «¿Hacia dónde?», se preguntó a pesar de que en la sangre le ardía la venganza contra el delator. El viento silbaba con fúnebre amenaza entre las pen-

cas de las tapias, entre el follaje de los bosques lejanos, entre las cañas de los maizales próximos. Al
rescoldo de la fiesta que había terminado en borrachera general, la muchedumbre se diluía por los
chaquiñanes, por los senderos, a campo traviesa, dejando a su paso un murmullo de voces, quejas, maldiciones y cantos. De pronto Isidro se halló frente
a la casa de su compadre. Estaba cerrada. «¿Habrá
huido?», pensó con amargo despecho saltando del
caballo. Luego gritó desde el corredor:

—¡Torcuatooo! ¡Rodrígueeez!

Sus voces rodaron en la noche como golpes desesperados en viejo portón. La figura esmirriada del hijo
menor asomó por una de las ventanucas laterales de
la casa. Llevaba un candil en la mano.

—¿Quién es, pes?

—¡Yo, carajo!

—¿Quién yo?

—Isidro Cari, que viene a pedirle cuentas a tu taita.

—Ave María.

—¡Abre la puerta...!

—Ya voy, pes —terminó el muchacho en tono de súplica.

La enferma, sentada frente a la lumbre del fogón,
rodeada de los hijos, más pálida y trágica que de ordinario, recibió a la visita —inevitable desgracia— con
un hipo de llanto. No pudo hablar, no pudo decir lo
mucho que tenía pensado en disculpa de su marido.

—¿Dónde está el Torcuato? ¿Dónde? Estas cosas se
arreglan entre hombres, entre machos. Quiero... Quiero preguntarle por qué hizo semejante pendejada.
¿Por qué? —interrogó Isidro acariciando su machete
con irrefrenable placer.

En la pausa que abrió el temor y la angustia de la
familia del cholo Rodríguez se pudo oír con escalofriante claridad el crepitar de las candelas, la respiración inquieta de los muchachos, el leve sollozo de
la mujer.

—¿Dónde está? —insistió el mayordomo de la Providencia con voz menos dura. Y con movimiento de
pesquisa desconfiado pasó revista por todos los rincones sospechosos.

Burlón, con aleteo de tempestad, el viento se filtró
por la puerta del patio. «¿Quién? ¡Él! ¡Imposible!»,
pensaron al mismo tiempo los hijos, Isidro, la chola
paralítica. Maquinalmente prendieron los ojos en el
ruido, en el ruido que fue a morir avivando el fuego.

—No... —dijo ella.

—¿Dónde está? Quiero preguntarle por qué declaró cuando a él también le hacía daño.

—Espere. Yo le contaré. Somos de mal natural. Usted, yo, él. ¿Qué quiere si hasta Taita Dios se burla de nosotros? —murmuró la paralítica sin desprender los ojos del fuego.

—¿Por qué, carajo?

—Usted parece que no sabe. Hasta Mama Virgen nos ilusionó con el milagro, y después, nada. Nada. Todo inútil. Ya me ve de nuevo. El pobre Torcuato hubiera dado lo que quiería por verme mejor. Le pidieron el secreto de su conciencia y tuvo que darles... Hágase cargo, compadre.

—Pero ponerse a decir pendejadas. Puras pendejadas... —gruñó con gesto pesado y sombrío el cholo sentándose en un banco.

—Así mismo es uno. Verá... Di algunos pasos, pes. Tres serían, cuatro serían, cuántos también serían... ¿No le contaron? Parecía que de nuevo todo iba a ir bien... ¡Oh! La gente gritaba de felicidad o de envidia. Nadie sabe esas cosas. De pronto... Quien me agarró desde lo alto, quien me impulsó a caminar me soltó de golpe, me abandonó, me dejó sola. ¡Solitica!

—No grite, mama.

—Mi pobre marido al verme caer, al escuchar lo que los fieles le exigían que diga, pes. Creyó que Taita Dios y Mama Virgen le estaban probando, le daban una oportunidad para librarse del infierno que nos ha pintado tantas veces el señor cura.

—Carajo...

—¿Qué podía hacer para lavarse de los remordimientos? ¿Qué? Declarar los pecados. Los únicos que tiene. Porque no tiene más, compadrito. Es bueno... Bueno...

Ella siguió hablando, sus explicaciones y disculpas confusas y anhelantes abatieron poco a poco los deseos criminales de Isidro, el cual, hecho un nudo de contradicciones en las entendederas y en los sentimientos, objetaba de cuando en cuando:

—¿Cómo ha de hacer semejante cosa?

—La voluntad de Taita Dios mismo hizo que asome en ese rato don Gabrielito. Como que decía aquí está el que ha de perdonar, pes.

Pero el llanto y la tristeza de la chola, que crecían poco a poco, obligaron a Isidro a virar en redondo. Y fue él, al final, quien consoló:

—No llore, comadre. Ya no hay remedio. Los del cielo y los de la tierra parece que se burlan de nosotros.

—De nosotros los cholos.

—Pero conmigo es otra cosa. Ya verá.

Guiada por certera astucia, secándose las lágrimas en el pañolón, Trinidad ordenó a sus hijos:

—Vean guaguas. Invítenle una copita al compadre. El puro a veces es bueno. Sabe aconsejar en bien o sabe dañar del todo.

Y como en realidad el desconcierto era grande, la chola e Isidro bebieron en silencio. Ante lo duro de la pena saborearon insípido el aguardiente. Sin embargo, a la segunda copa una tibieza fraternal canalizó venganzas, quejas y angustias por el entendimiento de análogos destinos.

—La familia, compadre.

—Así mismo es. La mujer, los hijos.

—La tierra, que no es siempre próspera como dicen, pes.

—El pantano. Las heladas. La erosión.

—Los negocios. Ya ve. Siempre a la mala.

—A la mala y con riesgo de quedar desgraciado matando, bebiendo la sangre.

—O muriendo a veces.

—Hasta Taita Dios...

—Hasta Mama Virgen...

—Como si uno no fuera igual a los demás.

—A los demás...

Isidro no pudo reaccionar como había pensado cuando Rodríguez apareció por la puerta del patio —poncho alicaído, paso temeroso, húmeda mirada de perdón—. En vez de abrir a machetazos la cabeza y las entrañas del traidor, como era su propósito, se contentó levantándose y exhibiendo el arma con taimada parsimonia. Tiempo suficiente para que la víctima se ponga en guardia. Para que los muchachos griten asustados y se arrodillen a sus pies, para que la chola paralítica exclame con toda la desesperación de su inmovilidad y su impotencia:

—¡Por caridad, compadrito! ¡Usted también es de los mismos!

—Yo también... —repitió Isidro luego de una ligera pausa, saboreando con amargura de evidencia y maldición las palabras de la mujer. Era su cómplice, su pecado, sus mañas, su esperanza, su sangre, él mismo, a quien había querido matar. «Con el mache-

te del indio cobarde... Del indio que soñaba ir contra
el patrón... Yo en cambio. ¡Oh!», se dijo soltando el
arma. El arma que recogieron del suelo los muchachos para entregarle a la paralítica.

—Compadre de mi alma. Yo tengo la culpa. Soy
un pendejo. Entre nosotros podemos perdonarnos
—suplicó Torcuato.

—Bueno. Denos una copa, comadre —exigió Isidro tratando de sofocar el bochorno de una especie
de remolino de sentimientos contradictorios que le
atormentaba.

—¿Entonces le perdona? El buen corazón... —murmuró la enferma.

—¿Y qué más puedo hacer?

—Gracias, compadrito. Entre nosotros sí... En cambio el señor de la Providencia se negó a ser generoso y caritativo.

—A mí tampoco me ha querido perdonar. ¿Qué mayordomo no hace lo mismo? Mandarme sacando después de tantos años...

—¿Cómo? ¿Le saca de la hacienda, compadre?

—Así dice.

—No es justo. Desde guagua.

—Desde siempre.

En los comentarios que siguieron tejiendo entre
copa y copa aquella noche Isidro comprendió que el
nuevo perfil —autoritario, cruel, omnipotente, codi-
cioso, conquistado por Gabriel en los últimos tiempos—, opondría una infranqueable muralla a sus planes de grandeza sobre la tierra de la comarca. Debía
buscar otro camino. ¿Cuál? ¿Tal vez el de los indios? ¿Cómo? No se le ocurría nada por el momento.
Más tarde...

—Mejor así. No es bueno morir de mayordomo. Las
tierras esperando. Nuestro porvenir... ¿Cuántas veces hemos hablado de eso, pes? —concluyó Torcuato
cerca de medianoche.

—Sí. Haré lo que tengo que hacer —dijo Isidro lleno
de nuevas esperanzas.

Las dos vacantes de la Providencia —también fue
cancelado Víctor Simbaña— se llenaron con dos cholos parientes de la sobrina del señor cura. Un tal

Luis Estrella para la contabilidad y un tal Segundo José Yépez para la mayordomía.

Lo más duro para Isidro en esos días de entrega y cuentas fue subir al páramo. Don Gabrielito quería constatar el robo y además se negaba rotundamente a pagar al cholo algunos sucres —quizá uno o dos mil— que la hacienda le debía por varios conceptos —al parecer legales—. El latifundista pensaba con esa cantidad cubrir en mínima parte las pérdidas. La acción judicial, larga y difícil, podía muy bien hurgar en el honor del difunto don Manuelito, y eso hubiera acarreado, como le parecía lógico al caballero de la ciudad, vergüenza para toda la familia. Por otra parte, Gabriel no tenía idea exacta del ganado que vagaba por sus páramos. No todo lo que afirmaban —una fortuna, reses bravas, manadas enteras— debía ser verdad. ¿Y si era? Bueno. ¿Quién mejor que Isidro para guiarle por ese laberinto de la sierra? En el fondo, aun cuando el dueño de la Providencia no entendía bien al cholo —rara mezcla de desprecio y de temor—, le sentía necesario, y, lo que era más curioso, le intuía como a una fuerza avasalladora del futuro.

Al amanecer del rodeo, Isidro, con devoción supersticiosa, prendió una vela a la Virgen del Altar —ingenua promiscuidad de amuletos, de santos de palo, de estampas místicas, de flores de papel y de festones dorados— que Isabel Cumba, la honorable esposa, colocó a la cabecera de la cama en cuanto pudo ordenar su nueva casa. El pensamiento del mayordomo en desgracia exigió entonces cosas bastante difíciles a la Madre de Dios: «Mamitica. Ayúdame en este trance, pes. No he de ser tu malagradecido. Una fiesta te he de dar. ¡Ilumíname para acabar con el intruso, con el huairapamushca! Yo... Yo soy el hijo... Yo tengo derecho... A machetazo no he de poder... Con la huasca... Con el acial... Con la trampa del monte... ¡Ilumíname!» Y al retirarse a tomar el desayuno —infusión de canela, dos panes y tortillas de maíz—, con dolorosa obsesión siguió prendido a macabras visiones donde él era el héroe y Gabriel la víctima.

Después de trepar la ladera del primer cerro y antes de meterse en los pajonales, la cabalgata, compuesta de seis huasicamas, cuatro cholos vaqueros, el flamante mayordomo, Isidro Cari y el patrón Gabrielito, tomó aliento y el segundo mañanazo —unos bocados de aguardiente en turno que inicia el amo y termina el indio más infeliz— sobre una especie de balcón desde donde se alcanzaba a divisar gran parte del valle. La intimidad del riesgo y la fatiga del viaje despedían un olor a cuero caliente —el de las bestias, el de los pinganillos, el de los zamarros, el de las monturas, el de las huascas, el de los aciales— y a bayeta húmeda —la de los ponchos, la de las bufandas, la de los sudaderos—. Los comentarios se tendieron sobre el paisaje:

—Achachay, cholito.

—El frío está templado, pes.

—Pero bueno está el aguardiente.

—Desde aquí se ve el bosque de la rinconada.

—También se ven los chaquiñanes como arroyos que van al río.

—Cierto.

—¡Mi casa!

—¿Dónde?

—Metida en el chaparral.

—¿Esita?

—No. Tras el rejo.

—El potrero.

—El humo de las chozas.

—Parece estampa.

—Parece no más.

—Achachay, cholito.

—Sigamos —ordenó Gabriel. En realidad, no sabía por dónde. Esperaba que alguien rompa la marcha.

Y giraron, en un baile sin tino, cholos, indios y patrón —para arriba, para abajo, por la peña, hacia el abismo—. Luego, la cabalgata toda se enredó en disculpas y suposiciones:

—Creo que por aquí.

—Topamos con el muro, pendejo.

—Cruzamos el pajonal.

—Caemos en la quebrada grande, pes.

—¡Por acá!

—No. Regresemos al valle.

—Yo conocía hace poco.

—¿Qué, pes? ¿El camino real?

—Me he olvidado.

—¡Roscas inútiles! ¿Por dónde es?

—Ave María, patrón. ¿Por dónde también será, pes?

—¿Por dónde?

—Nunca he subido, su mercé.

—Yo sí. Pero...

—Pero estamos jodidos.

—Yo conozco el del otro lado.

—Yo también.

—Soy vaquero, no guía.

—Era de que nos advierta, pes, patrón.

Al final, después de varios minutos de desconcierto, y observando con mucho rencor la inmovilidad taimada de su ex mayordomo, Gabriel ordenó con voz inapelable:

—¡Isidro! ¿Por dónde vamos, carajo?

—¿Cómo, pes? ¿Acaso yo? ¿Por qué? Otros son los llamados. Uno ya no es nadie —respondió el aludido con toda la burla de que era capaz su amargo resentimiento.

—No discuto. ¡He dicho que nos indique el camino! Que se ponga a la cabeza. Conmigo no puede hacerse pendejo. Ya sabe por qué... —insistió el dueño de la Providencia subrayando la orden con gesto de cólera infernal.

Ante aquella amenaza trunca y, por lo mismo, saturada de crueles perspectivas y vergonzosos recuerdos, Isidro bajó la vista, tragándose sus prosas. Él sabía —lo pudo averiguar en el momento preciso— que estaba atado al perdón y a las condiciones que consiguió Isabel, su mujer, por intermedio de Salomé.

—Bueno, patrón —concluyó tomando de mala gana la delantera.

De pronto la neblina borró el valle, las montañas, envolvió a la cabalgata.

—¿Por dónde? —gritó alguien.

—¡Por aquí! —dijo Isidro con decir mecánico que navegaba en el eco que le dejó la amenaza de Gabriel en sus extraños pensamientos: «Conmigo no puede hacerse el pendejo... Ya sabe por qué... ¿Por qué? La justicia. Una soga al cuello. Como se les lleva a los indios criminales. Amarrado las manos a la espalda. Entre policías. ¡No! ¿Entonces? Yo, el hijo. Hijooo... El huairapamushca. Ya sabe por qué... ¿Por qué, pes? En la barriga el miedo; achachay... En la cara la vergüenza; atatay... En las manos la soga; ayayay... La soga en el cogote del cojudo para llevarle hasta el despeñadero... El despeñadero...»

Durante algunas veces la cabalgata descansó entre las breñas para beber el aguardiente que brindaba el patrón y para devorar lo que cada cual llevaba en sus alforjas —los indios, maíz tostado y harina de cebada; los cholos, arepas, charqui, dulce para el soroche; el amo, gallina cocida, huevos duros, pan—. A la tarde llegaron a una choza y a unos corrales. Era la vivienda del indio Marcillo —pocos en realidad conocían la existencia de aquel ser, Isidro uno de ellos—.

—¿Y esto de quién es? —interrogó Gabriel, sorprendido.

—Pertenece a la Providencia —informó de mala gana Isidro.

—Yo no sabía.

—Se ha olvidado. ¿No se acuerda que un indio murió en el despeñadero y que al hijo le dimos el huasipungo? Ese es, pes.

—Siguen las pendejadas.

—Cuida los corrales que sirven para marcar al ganado de los páramos. Un derrepente no más...

—Pero... —trató de protestar Gabriel sin concluir la frase. Tenía la boca llena de saliva y náusea. Se agobió sobre el caballo.

—Soroche —diagnosticaron los vaqueros socorriendo al enfermo.

El indio Marcillo —pequeño, prieto, nariz ganchuda, cubierto las orejas con bayetas, respirando como buey en amanecer de helada—, al darse cuenta del estado del patrón le hizo entrar en la choza y le dio a beber un brebaje de chaguarmishqui, sal, hierbas de monte y alcohol.

—Tome no más, amito; es como la mano de Taita Dios.

A la media hora Gabriel estaba repuesto. Con voz de grata confianza interrogó al indio, mientras afuera las gentes de la cabalgata se acomodaron en los corrales.

—¿Cómo te llamas?

—Marcillo soy. Marcillo chiquito para servir a Taita Dios y a su mercé.

—Ven. Siéntate aquí.

El indio se acurrucó en el suelo, al pie del pequeño estrado que hubo que acomodar con leños, adobes y cajones para el lecho del patrón.

—Yo...

—No temas. Dime. ¿Hay mucho ganado por el páramo?

—Cómo no, pes.

—¿Cuántas cabezas?

—Eso nadie sabe, patroncito. Mi taita, alma bendita, al que le decían el Marcillo grande, era el único.

—¿El único?

—Pero murió, pes.

—¿Aquí?

—Un amanecer fue con patrón mayordomo Cari. Acaso volvió. En el fondo de la quebrada grande, por donde baja el agua que va al río, había quedado hecho ñuto, como una guagra rodado. No se pudo sacarle, pes.

—¿No conocía el camino?

—Claro, patrón.

—¿Entonces?

—¿Qué también sería? ¿La desgracia sería? ¿Le empujaría taita diablo?

—¿Nadie vio?

—Patrón mayordomo Cari no más.

—Patrón...

Seducidos por la charla llegó la noche. La garúa incesante, el fragor del viento colándose por las abras del tugurio, el rumor de la charla de los cholos y de los indios, que se tendían en la paja de los corrales junto al calor de sus bestias para pasar la noche, estremecían de cuando en cuando a Gabriel con la certeza de hallarse solo y perdido en el confín del mundo. «Tengo el látigo de tres correas... Tengo el revólver... Las balas...», pensó para tranquilizarse. Sin embargo, cuando el indio quiso salir de la choza, cerca de la media noche, él le ordenó en voz cómplice:

—Quédate. Duerme aquí.

—¿Aquí, patroncito?

—En el suelo, a mis pies.

—Dios se lo pague, su mercé.

Y mientras el indio se acurrucaba en ovillo uterino bajo el poncho, el amo siguió con sus preguntas y propuestas:

—¿Conoces el páramo?

—Cómo no, pes.

—Entonces vendrás con nosotros mañana al rodeo.

—Lo que mande, su mercé.

—Te llevaré a la hacienda. Cuidarás el ganado —ofreció Gabriel buscando la gratitud del runa.

—Ave María. Dios se lo pague, amito, su mercé —murmuró Marcillo casi llorando de emoción.

—Así será.

Y a la mañana —bruma de remolino, viento que calaba los huesos, matorrales y peñas sin pájaros— la cabalgata se perdió de nuevo cerro arriba. Gabriel, seguido por los cuidados de Marcillo, cobró coraje y dio órdenes entre gritos y palabrotas. La mitad del día se pasaron indios y vaqueros marcando una veintena de reses que sorprendieron a la vuelta de un desfiladero. Luego se anotó otras tantas que lograron esquivar el lazo huyendo por barrancos inaccesibles y vastos pajonales. Isidro Cari anunció entonces que había terminado el rodeo, que éste era todo el ganado de las tierras altas, dándole a entender que aquello no valía la pena para tanto escándalo y tanta complicación. En beneficio de la costumbre todos solicitaron al dueño de la Providencia un torete para despostarlo. Así se hizo. Indios y cholos llenaron panza y alforjas con carne fresca, pensando en el retorno al hogar, en la cara de satisfacción de los críos y de la hembra al recibir el recuerdo del páramo. Sólo Marcillo, en un aparte que alcanzó a pescar con Gabriel, murmuró desconfiado:

—¿Cómo también será, patroncito? Todavía falta. En las puertas estamos. El páramo alto... La rinconada... El despeñadero donde cayó taita, alma bendita...

—¿Qué?

—Nada, patroncito.

—¿Cómo nada? —dijo Gabriel lleno de sospechas liquidando un vago remordimiento que se le había prendido en el alma desde el instante que palpó la realidad de la ridícula fortuna de los páramos, desde el momento que pudo comprobar que el cholo Isidro Cari tenía razón en aquello de: «Treinta o cuarenta cabezas no más son. No vale la pena gastar el dinero en rodeos. Si me he robado serán, pes, unas ocho o nueve entre todo. ¿De dónde para sacar más?»

—Yo, su mercé... —murmuró Marcillo.

—¡Habla!

—Más ganado puede haber pes, su mercé.

—¿Dónde? ¿En el infierno?

—Son manadas, patroncito. Las he visto con estos ojos que se han de hacer tierra.

—¿Manadas?

—Enteriticas.

—Bueno, carajo. Pero si me mientes te mato, indio puerco.

Fue duro para Gabriel convencer a vaqueros y huasicamas le acompañen en su nuevo intento. Al final lo arregló todo con buenas ofertas. En la calma de un tiempo como retardado, casi muerto por lo sombrío, cruzaron un campo de tierra erosionada, donde las pocas matas de frailejón parecían maldecir al paso penoso del viento que silbaba de frío. De pronto, señalando unas rocas sin sospecha posible, Marcillo anunció:

—¡Vea, patroncito!

—¿Dónde?

—¡Síii! —gritó el coro de vaqueros lanzándose a la carrera. En pocos minutos rodearon al ganado descubierto por el indio.

—¡Cinco no más han sido! —dijo alguien.

—¿Cinco? ¡Pendejada! —exclamó Isidro en tono de burla, cual argumento desesperado en su tesis.

—La manada ha de estar más adelante, pes —opinó Marcillo mirando humildemente al dueño de la Providencia.

«Indio puerco. Ashco sarnoso. Adulón. Donde le agarre le bebo la sangre. Sangre de runa; atatay. Eso es lo que nos tiene jodidos. Le acabo como al otro. Taita Marcillo grande. Mi enemigo. ¿Enemigo? A ellos es más fácil liquidarles para poder sobrevivir. Si acabamos con los runas quedamos nosotros. ¿Por qué no? Los de arriba hacen lo mismo con los que estamos en la mitad. En la mitad..., se dijo Isidro oteando vagamente un porvenir más seguro, con menos riesgo del que había soñado frente a la Virgen del altar de su cama contra el dueño de la Providencia.

Entre la algazara de la comitiva, entre la pericia de los cholos vaqueros, entre la maña inverosímil de los desmedrados caballos parameros —juego de saltos nerviosos, de relinchos, de paradas bruscas, de caídas de culo para dominar la fuerza salvaje del ganado que tira la veta— quedaron presas las reses. Sólo un torete manchado, escurriéndose por un desnivel del terreno, huyó sin dejar huella.

—Se fue.

—Hay que seguirle. Ojalá demos con la manada.

—Con la manada —afirmó Gabriel.

—Un ratito, patrón. Marquemos a éstos primero.

—¿Cómo?

—Tumbándoles aquí mismo. Los fierros traen los huasicamas.

Después del trabajo, llevando en las narices el dulce olor a carne y pelo quemados, descendió la cabalgata por una ladera sin dar con el codiciado tesoro. Por las murmuraciones Gabriel comprendió que tenían que volver.

—Los corrales.

—Nos agarra la noche.

—La noche.

—Lejos estamos.

—Lejos.

—En la oscuridad no se ve ni el apellido.

—Ni el apellido.

—Para perderse.

—Perderse.

—¡Por aquí! —ordenó la codicia de Gabriel tratando de avanzar por un recodo.

—¿Cómo, pes? No ha de ser bueno hacernos tarde, patroncito.

—Unos minutos más.

—Uuu...

Avanzaron de mala gana. Un viento diabólico enrareció de pronto la neblina. Negros peñascos rotos y el paredón del monte clavado en el cielo surgieron rodeando a la cabalgata. A los pies, un pajonal requemado escalofriábase con murmullo tenebroso.

—Ave María. Taita amito. En el hueco del Huaira hemos estado —murmuraron en coro los indios huasicamas.

—¡Cierto! Esto llaman la quebrada del diablo, del Huaira Malo, como dicen los naturales —comentaron los cholos.

Y todos, sobrecogidos de espanto, buscaron aprisa una salida que les salve del hechizo del lugar maldito. Mientras Gabriel, domando trabajosamente a su caballo, gritaba:

—¡Esperen, carajo!

Fuerte y de improviso llegó la lluvia. Tan inesperada y brutal que desbarató toda fuga. Hombres y bestias se agruparon en una especie de remolino defensivo.

—La papacara.

—Tempestad, carajo.

—Ni donde para escampar, cholitos.

—Avancen no más.

—Retrocedan no más.

—Por este lado.

—¡No hay cómo!

—Por este otro lado.

—¡No!

—Vamos a quedar tiesos de frío.

—Pájaros en noche de helada.

—Por donde entramos...

—Por dónde también será con semejantes aguas.

—Con semejante viento.

—¡Corran!

—¿Hacia dónde, pes?
—¿Para qué, pes?
—¡Esperen!

La tempestad transformó rápidamente aquel hueco solitario de las cumbres en un mundo de chasquidos, de agua que se precipita por barrancos y quebradas, de lodo chirle, de roca resbalosa.

—¡Un refugio! ¿Quién conoce un refugio? —propuso Gabriel.

—Nadie.

—Cogidos del Huaira Malo como las guarmis —murmuraron los indios huasicamas entre dientes.

Y entre los cholos se enredó el descontento taimado, sordo:

—Cosa del diablo parece.
—Maldición, carajo.
—¿Quién me mandó venir?
—Uyayay, aguacerito.
—Púchica, desgraciado que soy.
—Hijo de la gran siete.

Arremolinados por misteriosa obstinación, por vértigo de temores instintivos, los animales giraban en redondo, con relinchos agudos, con temblores en la piel, con un afán de bailar sobre el lodo que se suavizaba más y más, exasperando así el desconcierto de los jinetes:

—Caballo mañoso como runa.
—Ahora te rasgo con las espuelas, carajo.
—Hecho el maricón. ¿Qué viste, pendejo?
—¡Quieto, guarmisha!
—¿Por el agua será?
—¿Por el lodo será?
—¿Por los relámpagos será?

Marcillo, acercándose con gran trabajo al patrón, que se movía sin tino entre la cabalgata —oleaje de ponchos de agua y maldiciones—, propuso:

—Bajemos por el barranco, patroncito.
—¿Por el barranco?
—Hay una cueva, su mercé.
—Indio bruto. ¿Por qué no avisó antes?

A lo cual Isidro, que hasta entonces había permanecido rumiando en silencio sus vergüenzas, creyó oportuno —morbosa gana de desplazar al indio de la intimidad del patrón— tomar la iniciativa probando en público sus conocimientos y su calidad de indispensable:

—Vengan por aquí. El indio criminal quiere meterles en el resbaladero que murió el taita. ¡Vengan!

Y con violencia jactanciosa hundió las espuelas al caballo y tomó la delantera. Mansamente fueron todos tras él, abriéndose paso en la tormenta, que azotaba y envolvía como chaparro de selva. Pronto dieron con la cueva —luz difusa de crepúsculo, tímido tictac del agua al filtrarse por los muros, sucias cortinas de musgo y telas de araña, eco de profundidad inabordable, líquenes milenarios en las piedras de las paredes—, donde, a pesar de sentir en el aire la presencia del Huaira, pudieron hablar sin desesperación, quitarse los ponchos y exprimir las ropas.

—Rico aguacero.

—Achachay.

—Casi nos jodimos.

—Busquen leña. Algo para hacer fuego, pes.

—Un traguito para pasar el susto.

—Delen al patrón, que está queriendo clavar el pico.

—Ya tuvimos que pasar la noche aquí, carajo.

—Dormir con el Huaira.

—Soñar con el Huaira.

—Prendan candelita, achachay.

—Meterán a los animales.

—Las alforjas.

—Tenemos que comernos la carne que llevamos a los guaguas.

—Se jodió, carajo.

—Dar otro torete. ¿Cuándo, pes? Semejante que es.

—Si halla la manada verás no más, cholito.

—¿Habrán más reses?

—Claro, pes. Siempre he oído que en estos páramos hay una fortuna.

—A lo mejor todo es cuento.

—Cuento el que estamos pasando.

—Prendan candela, achachay.

A medida que pasaban las horas cholos e indios se tendían de cansancio en el suelo, sin importarles la humedad, el frío, los fantasmas, el Huaira, que aullaba impotente en la puerta de la cueva. En lo más negro de la noche, al ritmo de la respiración profunda de las bestias y del roncar de los hombres, Gabriel, sin sueño por la incomodidad y la codicia de última hora, se dijo más de una vez: «Formidable. Una sola manada serían cincuenta mil sucres. ¿Y si son dos o tres? Bien vale la pena. El indio no podía mentir de puro gusto. Quiso meternos en el resbaladero donde cayó su padre. ¿Por qué? Venganza de indio.

¿Contra mí? Contra todos. Deben cobrarle a los verdugos, a los cholos. Al cholo Isidro. Infeliz, carajo. Conocía el camino y se hacía el pendejo. Ha estado otras veces aquí. Muchas sin duda. ¡Ladrón! Cincuenta mil cada una. Cosa buena. Si no quieren seguirme los vaqueros les doy bala. ¿Cuánto me habrá robado? La plata del pantano. Para mí mismo, pendejo. Pero ahora se jodió. No tiene a quién robar. ¿A quién? Todos saben. Cholo amayorado. A lo mejor... Pero conmigo se ha puesto...»

La mañana —mutación frecuente en las cumbres— amaneció apacible, llena de perspectivas, de tibieza amiga en el sol, de gruñir burlón en el viento, de transparencia profunda en el cielo. Renacer de la vida que colmó de paciencia a vaqueros y huasicamas para recibir las órdenes de Gabriel:

—Sigamos buscando.

—Hasta medio día, para poder volver a los corrales.

—Hasta medio día.

—Pero yo tengo que regresar, pes —anunció Isidro con gesto altanero.

—Será cuando yo ordene. Su trabajo por ahora es entregar todo lo que se le ha confiado... —advirtió el dueño de la Providencia.

—¿Confiado?

—No discuta. ¡Si no quiere ir por las buenas irá por las malas! —chilló el amo echando mano al revólver.

—Vamos no más, pes, Isidro —intervinieron los vaqueros en tono mediador.

Tenían andado buen trecho cuando Marcillo, con su gesto de otear el horizonte alzándose sobre los estribos, pescó la noticia ambicionada:

—¡La manada, su mercé!

—¿Dónde?

—Abajo. Entre los picos de piedra. Desde las rocas del pajonal se ha de ver mejor.

—Hay que correr para adelantarnos a la niebla que llega por ese lado —advirtió uno de los cholos vaqueros.

Y al llegar al recodo que formaba la unión de dos cerros, Gabriel, mirando hacia abajo, exclamó:

—¡Son reses!

—¿No le decía, patroncito?

—¿Cuántas...? ¿Cuántas serán?

—Manada grande parece.

—¡Púchica!

—Más de cuatrocientas han de ser.

—¿Más? Vamos. Isidro, háganos bajar —ordenó nervioso el dueño de la Providencia.

Con precisión de autómata —tal era el desconcierto íntimo en el cual se hallaba— el ex mayordomo tomó la delantera enderezando a la cabalgata por la única posibilidad de llegar al ganado. Un declive escalofriante de viejos derrumbes, de carcomidos deslaves, donde las bestias tuvieron que aferrarse al equilibrio sentando hábilmente las patas traseras, donde los hombres tuvieron asimismo que defender la vida empuñándola en un hipo de espanto.

—¡Ave María!

—¿Saldremos con bien?

—¿Cómo nos metes, pes, por este infierno, cholito?

—Ahora verán no más.

—Despacio entre las piedras. Rodando una de esas grandotas ni para contar el cuento.

—Despacito.

A pesar de los comentarios Isidro siguió imperturbable entre los vericuetos de las peñas volcánicas. Mas, al salir del peligro, pensó con terror y vergüenza: «Ya llegamos a la rinconada donde se esconde el ganado bravo. Si pudiera... Virgencita, para eso te puse una vela. Un torito que aparezca de pronto. Uno de esos que barra no más. No te pido, pes, un imposible.»

La bruma, fondo esencial de las escenas peligrosas entre las breñas y aliada de los milagros de la Virgen, llenó de pronto la hondonada, extendiéndose por las laderas. De nuevo la cabalgata tuvo que avanzar a tientas, prendida en el tacto de los cascos.

—¿Por dónde? —interrogó Gabriel, desesperado por adelantarse, por ser el primero en palpar su fortuna. A su lado iba el indio Marcillo mirando con esa desconfianza que heredó de sus antepasados más remotos.

—Por aquí. ¡Venga...! ¡Venga no más, patrón! —indicó Isidro dando paso al dueño de la Providencia y al indio que le acompañaba por una especie de puerta entre rocas, tras de la cual había divisado o mejor dicho intuido entre la bruma una mancha oscura de afilados cuernos. «Gracias, Milagrocita... Así es bueno ser», se dijo del cholo vengativo en cuanto desapareció la odiada pareja. Luego entraron todos.

Con resoplido infernal, rasgando el telón que le envolvía, apareció, como en los sueños, un toro de pelo

negro. Con inquietud, al parecer desconfiada y temerosa, se quedó mirando a los intrusos. Calculó el ata-
que golpeando la tierra con las pezuñas delanteras. La
víctima más próxima, Gabriel Quintana, le vio llegar:
bajo el testuz, fuego en los ojos, enorme la figura. Estaba perdido. Pero, de pronto, alguien recibió el
golpe por él. Era el indio Marcillo. El indio que, en
un abrir y cerrar de ojos, cayó violenta y aparatosa-
mente entre algazara de ponchos, estribos, huascas
y zamarros.

—¡Toro matrero, carajo!
—¡Echenle pronto las huascas!
—¡Las huascas, ayayay!
—¡La mía!
—¡Y la mía!
—¡Le jodió al indio!
—¡Cuidado el patrón!
—¡Por ese lado falta alguien!
—¡Ya voy yo!
—¡Envuelve la veta en la cabezada de la montura
para que no te arrastre!
—¡Para al caballo!
—¡Párale, carajo!
—¡Que aprenda a sostenerse! ¡Que aprenda a tirar!
—¿No ves el mío? ¡Chiquito, pero hecho un fierro!
¡Sembradas las cuatro como estacas!
—¡Atatay!
—¡Aprenderás!
—¡Así, carajo!
—¡En los cuernos!
—¡Ya...! ¡Otro más!

Después del griterío de los hombres, del galopar
nervioso de los caballos, del rubricar silbante de los
lazos sobre el escandaloso drama, quedó, junto a una
roca, el toro inmóvil, con el hocico bajo y templado
entre las cuerdas de los vaqueros; quedó en el suelo
pidiendo socorro, por no poder moverse, el indio
Marcillo; quedó, en un rincón, Isidro Cari, acholado,
tratando de disimular su culpa con una mueca indefinida y babosa que no era ni de pena ni de burla; quedaron comentarios de todo orden entre jirones de
neblina:

—Toro diablo.
—Cebado en el cristiano.
—¿Cómo no han de ver, pes?
—Apareció no más tras las piedras.
—¿Algún forajido que está penando no será?

—Hay que matarle.

—¿Matarle?

—¿Quién para que coma semejante carne?

—Yo he de llevar no más.

—Yo también.

—A lo peor es brujeado.

—Toro diablo.

Voces y comentarios de la cabalgata dieron fin ante el interés de Gabriel por el herido.

—Dos huecos tiene, patrón.

—Parecen puñaladas.

—Malas puñaladas.

—En el hombro y en la pierna.

—Cuidándole bien se puede salvar el pobre.

—Ya le estamos envolviendo las heridas.

—Todo le pasó por pendejo.

—Y por... —gruñó Gabriel dirigiéndose, con intuición clarísima, al supuesto culpable.

—Patrón... Yo... —trató de disculparse Isidro al ver que el dueño de la Providencia se le acercaba acariciando el látigo de tres correas.

—¡Cholo puerco! ¡Cobarde!

—No tengo la culpa. No sabía. Le juro...

—¡Le juro! —dijo en falsete el dueño de la Providencia con olímpica indignación, y, al levantar el látigo para castigar al criminal, se bamboleó en la silla como un borracho, dando tiempo al cholo —quien no se hallaba dispuesto a soportar un nuevo vejamen— a huir al galope. Furioso, Gabriel arrojó el látigo y empuñó el revólver. Hizo uno, dos disparos. El eco rodó como piedra en abismo, dejando entre la bruma impenetrable la burla de unos cascos que huían.

—¡Síganle, carajo! —ordenó Gabriel. Pero los cholos, unos francamente otros al disimulo, respondieron:

—Eso no se ha de poder, pes.

—Eso no hemos de consentir.

—Eso no...

—¿Qué sabía el pobre Isidro?

—Usted mismo vea.

—Desgraciarse matando un cristiano por un runa manavali.

—Por un runa.

—Eso no...

Guardándose el arma y la bilis Gabriel pensó: «Cholos desgraciados. Reaccionan en pandilla. Se defienden instintivamente. Por un runa manavali. Y ellos qué son, carajo. Por un cristiano. Valiente atrevimiento...»

Isidro, al hundirse en la niebla —abandonado al instinto del caballo que avanzaba entre los pajonales, sin ruta, a galope tendido—, fue presa de extraños, pero hábiles sentimientos, que sintetizaban sus fracasos frente al patrón y buscaban al mismo tiempo una salida para él y los suyos.

—¿Por qué, carajo, nada me sale bien? ¿Qué pecado me persigue y me tiene jodido? ¡Quiero saber! —interrogó en tono de maldición dejándose acoquinar por la soledad que llenaba el paisaje hasta el borde de la cima de los cerros, mientras en un vértigo íntimo de caras, de actitudes, de voces casi olvidadas desde la infancia, encontró el consejo taimado para rectificar su odio al dueño ilegal de las tierras de la comarca —valle, ladera y páramo—. Había sacado de él y del difunto amo, patrón grande, su mercé, cuanto le fue posible —sangre de orgullo y de vergüenza, modelo de prosa, de crueldad y de poder, raterías para el ahorro, casa, voracidad sobre los campos—. Basta. Era absurdo... Pero tampoco iba a quedarse así, a medias. Su pantano, su mujer, su hijo, sus ambiciones exigían el sacrificio de alguien. De alguien... Sin saber por qué pensó en los galpones de la Providencia cuando era muchacho. En los galpones donde los arrieros y pastores, en torno a un fogón lleno de candelas, se reunían por la noche a contar cosas de aparecidos y a hilvanar verdades de su desgracia y de su vida. De pronto oyó con claridad que se agigantaba y se abatía en la charla de aquellos hombres del recuerdo: «Todos... Todos sacan de lo mismo. ¿De dónde, pes, entonces? ¡De la sangre de los runas! Para qué son pendejos. Para qué viven como viven. El más viejo de los patrones adquirió la plata vendiéndoles los páramos que eran de ellos mismos. Y dicen que antes, mucho antes de todo, las gentes huairapamushcas que llegaron por el mar y bajaron por la montaña no estuvieron con pendejadas, les despojaron de todo, y, lo que fue peor, les dejaron la vida. Ahora es lo mismo, cholitos. Los títulos, las leyes, son para que la tierra laborable y buena sea entregada por taita juez, por taita escribano, por taita soldado, por taita cura, por taita Gobierno, a taita patrón grande, su mercé... El resto es cuento, habladuría...» Isidro Cari oyó aquello más de cien veces en su vida y lo vio otras tantas. El mismo lo dijo en varias oportunidades. No obstante —estúpida esperanza de su origen, falsa vanidad de llegar a patrón— creyó que Gabriel —por ser él también un advenedizo— le hubiera consentido, le hubiera dejado con sus pequeños negocios hasta poder ser alguien, hasta poder ensanchar sus tierras, hasta poder habilitar su pantano. Pero no. No fue así. «De la sangre de los runas tengo que sacar... Tengo que exprimirles... ¿Por qué todos y no yo? ¿Cómo? No sé. Tal vez...», pensó con angustioso pesimismo. Había dejado de ser mayordomo. Lástima. Le hubiera sido tan fácil. Cosa curiosa: aquellas reflexiones apaciguaron el rubor que le dejó la última escena. No estaba del todo mal lo sucedido. Se había aclarado su destino de cholo amayorado, de cholo con furor de gamonalismo. «Cholo amayorado», se dijo dándose cuenta que su caballo corría como se la lleva el diablo entre unas breñas desconocidas.

—¿Dónde...? ¿Dónde te has metido pes, pendejo? —interrogó a la bestia tratando de rectificar la dirección. Luego observó en su torno, miró al cielo y concluyó en tono de disculpa:

—Bien ha estado, cholito. Sigue no más... Sigue no más antes de que nos agarre la noche. Harto nos falta todavía.

No pudo evitar un deseo envenenado para las gentes que quedaban atrás: «Ojalá les cargue el diablo, carajo. Ojalá les joda el Huaira, que ya mismito se desata por ese lado.» Largo debe haber corrido. Sudoroso de pensar, intuir, temer y cabalgar, se lanzó por un desfiladero estrecho desde donde se dominaba el valle —a esas horas envuelto por un crepúsculo de tierra húmeda en el suelo, de azul oscuro trepando por las laderas, de pereza como de sueño acostándose en los cerros, de murmullos sin eco—. Aquella visión le devolvió lo rumboso y esperanzado de su ser. Sintió hambre. Devoró unas tortillas de maíz que halló en sus alforjas. «Cholo amayorado. Cholooo...», se dijo con coraje para luchar y vencer. Sabía contra quién. No sabía cómo. Eso le desesperaba. Olió de pronto con morboso deleite lo que siempre estuvo en sus narices, su olor característico —zapatos de be-

cerro con suelas embarradas en pasto tierno y boñiga
seca, medias sucias, sebo guardado en los pantalones, en el cintillo del sombrero, en las uñas, cuero
mal curtido, bayeta húmeda, aliento de chuchaqui—.
Y concluyó mentalmente: «El cholo debe oler a chivo.
Debe oler a macho...» De nuevo alentó a su caballo
con palabrotas y le hundió las roncadoras. Tenía que
ganar el chaquiñán del descenso antes de que se di-
luya la última claridad. Respiró profundamente. El
aire se volvía turbio. Cada vez más. Dejó que el
caballo le lleve a su gusto.

—Pendejada —murmuró a media voz por decir
algo.

Y cuando todo se hundió en la noche sintió a la
oscuridad como el guarapo maduro. Se tambaleó en
la silla. Era tan angustioso dejarse llevar así, impotente, desorientado. Sin saber por qué, con amor de
nervios y sangre, se identificó a la tragedia de su
paisaje: formas que cambian al capricho de los ríos
que crecen, de los vientos que arrastran mangas de
polvo kilométricas, sismos que abren la tierra en barrancos, en quebradas, y que le elevan en cordille-
ras, en volcanes. Sí. El también se transformaba, se
definía. Le era urgente transformarse y definirse. Pasada la media noche Isidro llegó a su casa.

La rápida mejoría del indio Marcillo —el cual, en
cuanto pudo, le sacó al páramo hasta la última res,
dicen que más de mil cabezas—, el consejo del señor
cura evitando la mala venganza de su amigo latifundista, los nuevos ruegos de Salomé bajo la inspira-
ción de las lágrimas de su hermana, obligaron al
dueño de la Providencia a perdonar una vez más al
cholo Isidro Cari. Por otro lado, Gabriel —latifundista hecho y derecho a esas alturas— había adquirido
una personalidad omnipotente, capaz de perdonar o
aplastar a su antojo las prosas ladinas del cholerío
altanero y desubicado o el hurto y la pereza de la
indiada esclava. Cosa curiosa: no quería luchar, no
tenía contra quién irse, a quién dominar. ¿La naturaleza? Otros lo hacían por él. Todos eran sus compadres, sus cómplices, sus empleados, sus sirvientes,
sus huasicamas, sus huasipungueros. Era preferible
olvidar que aquella gente en alguna ocasión pudiera
unirse contra él o su sistema de vida. Olvidar si
hasta entonces nada pasaba. Por el contrario, todos
hablaban de él como de algo divino, misterioso e
intocable. Todos. Grandes y pequeños. Belicosos y pa-

cíficos. Felices y desgraciados. Los de arriba y los de abajo. Y, por rara paradoja, hasta los que se llamaban revolucionarios. Había llegado a ser, en resumidas cuentas, el telón de fondo para aforar la tragedia de los indios y de los cholos de los campos, de los caminos, de los pueblos, de las ciudades.

Entretanto, en la comuna de Yatunyura, a la sombra de la choza de Pablo Tixi, el rencor solapado de los hijos había madurado con los años. Cosas y escenas de un sabor amargo, de una audacia criminal que desconcertaba al pobre taita diablo runa —forma despectiva con la cual los muchachos apodaron al padre—, sucedíanse una tras otra. Una noche que Pablo llegó más borracho que de ordinario y entabló la riña conyugal, los mellizos —prematura hombría del trabajo infantil en el campo—, en arrebato de odio hecho coraje, estallaron desde su rincón —nueva cama de cueros de chivo y ponchos viejos sobre la leña de reserva— en forma violenta de tremenda audacia. Crecidos como fantasmas por la luz del fogón que llegaba desde el suelo y por las manos levantadas con una hacha en alto se acercaron —resueltos a lo peor— a taita diablo runa, que trataba en ese instante de estrangular a mama Juana sobre la piedra de moler. Quizá pensaban que, al liquidarle, se liberarían de lo sórdido y de lo miserable de su destino —escenas infernales en la choza, duro trabajo en el campo desde los siete años—. Pero antes de que el arma caiga violenta y por inexplicable actitud de quien y con quien ellos creían compartir el mismo dolor y el mismo anhelo, mama Juana, zafándose con fuerza increíble de su verdugo, encaró con ojos de terror, con manos de súplica, al atrevimiento reivindicador. Ellos se quedaron inmóviles —volvía la madre a traicionarles—, con la amenaza erguida, con el hormigueo de la vergüenza en el alma.

—Dejen no más que mate, que machuque, carajo. Para eso es marido. Para eso es indio, runa, como una pobre —chilló la hembra en tono verdulero, extraño a la complicidad —madre e hijos— de las largas esperas frente al fogón, de las lágrimas y las quejas vengativas en la soledad de las noches de abandono. Era un alarido que destapaba, más allá de la conciencia —llaga inconfesable y roedora en las entrañas—, la afirmación y el rechazo que escuchó en todos: ¡huairapamushcaaas! Ella también... Luego era verdad... Un alarido de desesperación conte-

nida, mal disfrazada, pero que, sin embargo, anuncia-
ba claramente la presencia de intrusos caídos en mitad del dolor del indio —de todos los indios—, en el
silencio vegetal de la choza, en la inmutabilidad apa-
rente de un vivir esclavo, en la sangre que se pare
y se cría.

—Mama —murmuraron a un tiempo los mellizos
con el asombro de quienes sienten derrumbarse algo
íntimo y querido. A lo cual ella afirmó —ciega insistencia sádica que en vez de curar enfurece—:

—Aríi. Para eso es marido runa. Longos atrevidos
con taitico. ¿No me oyen, diablo? ¡Taiticooo!

—Taitico, carajo —alcanzó a decir el yatunyura desde el suelo —trapo sucio, animal intoxicado, piltrafa
humana—, en donde se quedó retenido por el espanto y el sueño de la borrachera.

Pascual y Jacinto abatieron el arma y se arrastraron hasta el rincón de su cama. Al olor de todo lo
fermentado que les rodeaba —hierba, madera, boñiga,
tierra húmeda en orinas—, y al ritmo del ruido que
hacían los cuyes al perseguirse amorosamente y al
devorar, pensaron con enorme resentimiento: «¡Indios brutos, manavali!» Por primera vez se referían
al padre y a la madre —eco de las voces del cholerío, del señor cura, de los patrones—. Pensamiento
que les trajo a la memoria las duras experiencias
pasadas en su corta vida de longuitos yatunyuras: la
fiebre de la pus dolorosa en las manos bajo los em-
plastos de telaraña, el cansancio de los caminos llevando a la espalda grandes cargas, el cultivo de la
parcela tras la choza, el cuidado de los potreros y del
bosque de la comunidad, la angustia de los lamentos
de mama Juana después de las zurras de taita diablo
runa. Pero es curioso: aquello, en vez de derrotarles
para siempre, les dio una vaga e imprecisa esperanza.
Al siguiente día, muy por la mañana, huyeron al
bosque.

—¿Por qué, pes? ¡Longos mala cabeza! —chilló
mama Juana al sorprenderles cerca de la noche. La
razón no estaba para ellos clara. Un impulso fanta-
seador desde que se sintieron abandonados de la
madre les obligó a trepar las alturas, para ver, por
lo menos a la distancia, a Guagraloma, el pueblo del
cholerío: su iglesia, sus calles estrechas, su plaza
solitaria.

VI

FRENTE A FRENTE

—Ve, pes. La pared ha quedado hecha una lástima.
Desperdiciada la cal, el cemento, la piedra. Castigo
de Taita Dios parece —se lamentó Isidro Cari junto
a Isabel, su mujer, y sus dos cachorros tiernos —por
ese entonces había crecido la prole—, contemplando
los destrozos de la creciente del río sobre su obra
de contención de las aguas a lo largo de sus tierras
pantanosas.

—Si continuamos en esta porfía vamos a quedar
sin medio partido, pes. Para pedir caridad. Echar las
aguas al otro lado. sobre los indios brutos. Cosa de
locos —opinó la mujer con el gesto de oposición alharaquienta que había usado desde el primer instante
que se le ocurrió al marido tirar su desgracia sobre
los indios yatunyuras.

—Yo sé. Si no habilito la poca tierra que pude
arrancar de la Providencia como para poder vivir,
como para que los guaguas se críen como merecen
—murmuró Isidro sin hacer mucho caso de las advertencias de la hembra. Miró con rencor a la corriente turbia e hinchada de tumores en cuyas trenzas se
llevaba impasible y rezongona trozos del muro— ca-
rísimo para él en desvelos y dinero—, y se dijo con

testarudez de mula mal amansada: «Maldita sea.
Tengo que salvar el pantano a cualquier precio...
Tengo que joder a los runas... Otra pared más grue-
sa... Otro gasto... Me dejan solo... Si todos los de
esta orilla... Si todos los cholos... ¿Pero qué, pes?
Semejantes chagras brutos. No saben que hay que luchar para conseguir algo, carajo... Hay que joderse
primero...»

—¿Y la platica que se va? —insistió Isabel sacudiendo maquinalmente al mayor de los hijos que lloraba prendido a la pollera.

—La platica. Sólo en eso piensas. Yo haré que el río
puerco me deje de patalear.

—Ni siendo Taita Dios.

—Pero soy Isidro Cari, pes —concluyó el cholo
lleno de esa diabólica obsesión que había transformado su gesto humilde y ladino de mayordomo en
mueca altanera y vengativa de cholo amayorado.

—Sí, pes. ¿Quién no sabe? Sin embargo...

—Sin embargo... ¿Qué pes, carajo? Métete en lo
que deben meterse las guarmis: la cocina, los guaguas.

—Vamos adentro mejor. Ya llueve otra vez —afirmó Isabel corriendo por el lodo de su campo con un
hijo en cada brazo.

—Otra vez —gruñó Isidro levantando con asco la
cara al cielo y dejándose bombardear por las primeras gotas de la tempestad.

A pesar de lo dicho al cholo le gustaba discutir
con su mujer sobre sus proyectos, sobre el río, sobre
los indios, sobre el muro, sobre el pantano. A los
pocos días volvió la pareja al sitio desde donde se
podía observar gran parte del río, del pantano, de la
comunidad, del muro —ruinas sumergidas en la corriente—. El y ella —secretas esperanzas de gente
optimista— volvían pensando hallar algo que no sea
calamitoso como lo que vieron o creyeron ver en la
primera vez. Las aguas habían descendido un poco,
pero no por eso dejaban de arremolinar espumas y
basuras sobre las riberas, de avanzar sin tregua sobre
las últimas resistencias de canales y montones de
piedra, ahuecándose en grandes embudos que absor-
bían cuanto hallaban con voracidad animal y ruidos
de mala digestión.

—No dejan nada —se lamentó la mujer.

—¿Nada? Sí... Pero... Algo...

—¿Qué?

—Hemos ganado un poquito de tierra.

—Cascajo en la orilla no más veo.

—Sobre ese cascajo, para el próximo verano, si Taita Dios me da vida y salud, levantaré algo más fuerte, pes. Algo... ¡Carajo! —exclamó Isidro.

Por ese poco de cascajo que había ganado el cholo en sus tierras la tragedia se extendía en Yatunyura. La tragedia que en su autor y esposa hizo efecto de sainete por aquello de ser demasiado real y no suprimir el detalle cómico.

—Ve ese longo cómo corre —afirmó el cholo olvidándose de sus beneficios y mirando hacia la comunidad.

—Pobre.

—Ya se cansará.

—Parece que pide auxilio para sacar de la choza a la mujer y a los guaguas.

—Como vaca loca.

—Ese otro grita sosteniendo en los brazos a una india vieja.

—Ya se callará.

—Y esos que se han quedado contemplando las aguas. Dónde fue la choza, dónde fue la tierra. Ni se mueven, pes.

—Como runas mismo.

—¿Estarán rezando?

—Acaso saben.

—¿Estarán llorando?

—Acaso sienten.

—¿Estarán maldiciendo?

—Acaso pueden.

—¿Entonces?

—¿No les has visto cómo se quedan después de una desgracia jodida para ellos?

—No...

—¡Como idiotas! —concluyó el cholo, reforzando su opinión con mil memorias de su experiencia: la indiada después del trabajo, en el chuchaqui, ante la justicia, con taita cura, pidiendo gracia al patrón.

—Pero cuando se trata de defender la tierra, el huasipungo... ¿No les has visto? —objetó Isabel.

—Ahora es distinto. Ahora no saben de dónde les cae la joda. Ahora es un castigo del cielo. Ahora es... Eso: la creciente, el invierno, el río. ¿Quién tiene la culpa? ¿Contra quién pueden irse? Que le metan juicio a Taita Dios por mandar tantas aguas.

—Ave María. Acaso no han de haber visto lo que hemos hecho... Acaso...

—Ahora que peleen pes, carajo.

Lo que pasaba en Yatunyura era mucho más doloroso de cuanto vieron a la distancia Isidro e Isabel. El agua que en otras ocasiones filtró tímidamente por las tapias hasta convertir al bajío de la comunidad en un lodazal intransitable —defendido en minga que abría rápidamente zanjas, apuntalaba chozas, recogía el ganado—, había llegado esa vez con ímpetu diabólico, hinchándose sobre las cercas, sobre el chaparral, sobre las chozas, sin dar tiempo a nada. A lo más a correr para salvar la vida. Y la queja de la indiada, cada cual a su manera, se hinchó como las aguas:

—¿Será castigo de Taita Diosito?

—¿Qué también será, bonitico?

—Todo cae sobre el pobre yatunyura. La peste, el hambre, el polvo, la creciente.

—El agua con furia de huairapamushcas.

—Tendremos que cainar en el chaparro como lagartija.

—Tendremos que cainar en el páramo como fraile-jón, como paja.

—Tendremos que morir en el lodo como gusanos de mortecina.

—Tendremos que hacer la choza en la roca pelada como el venado, como el conejo.

—Venado también, conejo también, entre hierbita y hueco.

—Achachay, mamitica.

—Achachay, taitiquito.

—Achachay, pobre natural.

—¿Cómo para sembrar?

—¿Cómo para vivir, pes?

—¿Cómo para morir sin velorio?

—Taita Yatunyura, defiéndenos, pes.

—Taita Yatunyura, ampáranos, pes.

—Como hiciste con los taitas abuelos, pes.

—¡Taita Yatunyuraaa!

—Te hemos de enterrar unos cuicitos en las raíces.

—Un borreguito, también.

—¿Qué más puede dar el pobre natural?

—Achachay, mamitica.

—Achachay, taitiquito.

—A Mama Virgen sería de pedirle.

—¿Y si no quiere hacer el milagro?

—Meterle de cabeza en el pantano para que vea lo que es bueno.

La esperanza de volver a la choza, al sembrado, al pequeño corral, mantuvo a las familias afectadas por la desgracia a la orilla de las aguas crecidas, sin importarles el frío, la garúa, el lodo, las noches heladas. En muda contemplación, en demente perfil de facciones muertas, de ojos quemados, de piel apergaminada de espanto, permanecían alentados por una llama absurda, infantil casi: ver surgir entre las malditas aguas lo que siempre estuvo en esta tierra querida. Sólo en las tinieblas, cuando nadie podía ver, cuando toda esperanza era barrida por el viento, por el ruido monótono de la lluvia, por la negrura de una noche sin fin, aquella muchedumbre alelada rompía a llorar en tono de sanjuanito de velorio. Alguien, el más desesperado, el menos valiente, rompía el silencio con grito y convulsión endemoniada. Luego le seguían todos en coro de almas en pena, de fantasmas encadenados:

—¡Ay...! ¡Ay...! ¡Ay...! Taiticooo...

—Taiticooo.

—Mama señora boniticaaa.

—El shungo del pobre natural aplastado como grano de molino, pes.

—Las manos y las patas reventadas como monte pelado, pes.

—En el lodo quedó la choza, los cuyes, las gallinas, el puerquito, pes.

—El guagua tierno también.

—En el lodo quedó la cama, la olla de barro, los trapitos de la longa, la leña y la pala del trabajo, pes.

—El viejo abuelo, también.

—Vamos a morir, achachay.

—Achachay, taiticooo.

—Achachay, mama señora boniticaaa.

—Achachay en la carne.

—Achachay en los huesos.

—¿Qué mal hemos cometido, shunguiticooo?

—¿A quién hemos matado, pes?

—¿A quién hemos robado, pes?

—¿A quién hemos quitado la tierra, pes?

—¿A quién hemos dado chamico para volver loco, pes?

—Los cueros de chivo se fueron en el agua.

—El anaco se fue en el agua.

—La tupushina se fue en el agua.

—Taiticooo. Las cargas para la feria también se fueron.

—Achachay, carajooo.
—¿Ahora qué sembraremos, pes?
—¿Qué cosecharemos, pes?
—¿Qué venderemos, pes?
—¿Qué comeremos, pes?
—Achachay, aguacerito.
—Achachaaay.

Aquel coro de quejas, sonando días tras día como tambor de carnavalito de runa en la montaña, unas veces en la plaza, otras veces frente al árbol tutelar, y, con mayor frecuencia, a las orillas de las aguas crecidas, abandonó su alelamiento, su actitud desesperanzada en cuanto pudo comprobar —a la fecha que tenía por costumbre retirarse el río— que la desgracia en forma de playa pantanosa, de remanso verdoso, quieto, insistía a lo largo de las tierras más bajas de la comunidad. Los brujos recomendaron entonces sacrificios para taita Yatunyura.

—Está enojado —anunció uno.
—Enojado. No defiende del Huaira que sopla contra nosotros —dijo el más viejo observando en las llamas de su pequeño fogón.
—Enojado —repitieron las gentes.

Y como en las grandes crisis de temor y de pánico volvieron los yatunyuras a encarnarse en el espíritu primitivo de sus antepasados más remotos, con sus rituales selváticos, con sus danzas epilépticas, con sus bebedizos misteriosos, con sus cantos, con sus gritos, con sus atavíos infernales.

Más tarde, ante el fracaso de la superstición —la tierra fecunda del bajío permanecía oculta bajo el agua—, algunas voces recomendaron:

—Hagamos rogativas mejor.
—Rogativas a Mama Virgen Milagrosa.
—A Mama Virgen.

Y fueron a Guagraloma en busca del señor cura —en grupos, aisladamente— para tratar y contratar el milagro. Isidro Cari vio pasar a los últimos. Iban al trote de recua de bestias, infestando el ambiente con olores a boñiga, a perro mojado, a barro podrido.

—¿Adónde irán, pes? —dijo el cholo en alta voz dejando de trabajar la limpia que empezaba todas las mañanas con una docena de peones.

—Adonde el señor cura para la rogativa grande a la Milagrosa —informó uno de los trabajadores.

—¿Rogativa?
—Así dicen.

—Carajo. Pendejada —concluyó Isidro en tono de no me importa. Pero a los pocos minutos, sintiéndose envuelto en porfiosos temores supersticiosos —recorrió con la imaginación los milagros de la Virgen que se exhibían en ingenuos óleos a lo largo de las naves del templo—, se dijo: «A lo mejor los runas facinerosos consiguen mismo. Y me jode a mí la Bonitica por no pedirle a tiempo. Ella es Madre de todos, pes. De todos los que le piden con fe, según el señor cura... ¿Cuánto cobrará, pes? Trabajo de tanto tiempo... Me jode a mí... Con las cosas del cielo no hay como jugar...»

Maldiciendo mentalmente a los indios y del tiempo que tenía que perder en ir a Guagraloma subió a la casa.

—¿Qué pasa, pes? —interrogó Isabel al verle llegar a hora poco acostumbrada.

—Tengo que ir al pueblo.

—¿A qué, pes?

—A rogar a taita cura.

—¿A taita cura?

—Los indios yatunyuras quieren joderme.

—¿Cómo, pes?

—Haciendo rogativas.

—Ave María. ¿Cómo se les ha de ocurrir semejante cosa? Tienes no más, hijitico, que decirle a taita cura: «¿Dónde se ha visto? La Virgen es del pueblo. De nosotros, la gente blanca. Los indios son aparte. Harina de otro costal. Basta verles, pes. ¿A qué tiempos hemos llegado?»

—Así mismo es —cortó Isidro de mal humor, listo para marcharse. Botas deslustradas, calzón de montar, americana floja de abultados bolsillos, bufanda al cuello en vez de corbata, sombrero de paja. Al salir al corredor un chispazo de ingenio —política chola— le detuvo frente a uno de sus pollos de pelea, que lo tenía trabado en un pilar. «¿Cuántas..., cuantas veces no me ha propuesto el reverendo: le doy lo que usted quiera por el pollo? Es de porvenir... Es de tapada... De tapada y de revuelta...», se dijo recordando las palabras del santo sacerdote. Desató presuroso al animal y le acarició la cabeza como cuando apostaba antes de una gran pelea.

—Ya se fregaron los runas. Les doy la contra —murmuró en alta voz el cholo una vez en el carretero con el pollo bajo el brazo.

Cuando llegó Isidro al convento el señor cura discutía con los yatunyuras el precio de las rogativas y sus detalles. Como de costumbre los indios hablaban en coro, juntando las manos, poniendo cara de infelicidad. Taita sotanudo en cambio —esencia de altos conocimientos y de buen decir— trataba a toda costa de hacerles entender con humilde socarronería, con fino sentido práctico, lo principal y posible del milagro.

—Si no tienen lo indispensable en dinero hemos de hacer la misa rezada.

—Bueno, taitico, pes. Pero las campanas han de tocar duro, duro...

—Las dos chicas.

—La grande también.

—Esa vale más.

—Como sea, amito.

—Todo lo de las vísperas han de traer ustedes; chamizas, cohetes, luminarias, globos.

—Arí... Arí...

Dejó Isidro que los indios se retiren envueltos en ese murmullo caótico de quienes discuten su confianza y su recelo a la vez. Cuando el sotanudo se quedó solo el cholo Cari se le acercó ladinamente, con bondad babosa de gran noticia.

—¿Qué milagro por esta santa casa? —interrogó el fraile al ver al pollo de su afición. Cambió de inmediato la voz, la actitud, tornándolas confidenciales, cómplices —gentes que se preparan a discutir sobre idénticos gustos, sobre algo que está en la sangre desde siempre.

—Yo también vengo por lo de las rogativas —respondió el cholo en tono bajo de secreto, de trato ilícito.

—¿Ah? ¿Entonces?

—Síii —continuó Isidro pasando al cura el gallo por las narices.

—Con semejante avecita del Señor podremos hacer una rogativa de gran revuelo para el domingo.

—Es que... Verá... Quisiera que la fiesta de los indios sirva para mí también.

—¿Cómo?

—Ellos piden lo mismito que yo. Secar los pantanos. Yo puedo pagar lo que ellos pagan por la misa. Pero que sea la primera misa. Sin anunciar a nadie. La fiesta le pagan los runas no más. Yo quiero ir de tapada, señor curita.

—Aaah.

—La Virgen es de Guagraloma. Y como uno es cholo que algo vale. Cholo que se ha sacrificado por la iglesia, por el pueblo, por todo mismo...

—De tapada.

—Naturalmente. Eso sí, que mi nombre y la misa vayan primero a la Milagrosa.

—¿Y yo? —interrogó cínicamente el sacerdote.

—Le pago los cien sucres por la misa, pes.

—¿Y por pasar de tapada la fiesta?

—Para eso traigo el agradito —concluyó Isidro volviendo a cariciar al pollo en la cabeza.

Todo salió a pedir de boca —misa, fiesta y rogativa—. El cholo siempre estuvo primero —en las oraciones, en la liturgia, en el pensamiento del cura y hasta en las vísperas y chicha de los indios—. No obstante aquella intromisión habilidosa, no obstante que los nuevos trabajos sobre lo que ganó al río marchaban muy bien, Isidro no podía librarse de una inquietud de fracaso. Soñaba casi todas las noches que hombres feroces arrojados de la montaña con cuernos en los ojos le perseguían por el campo. «Donde se den cuenta me pueden matar. Cuenta se han dado ya... No dicen nada, porque son brutos. El camino es solitario por las noches. Y la casa... Mi casa es la última viniendo de Guagraloma. Casi en despoblado... Estoy solo. Debo conseguir aliados. Alguien que me defienda... Mis vecinos... Les conviene, pero son unos chagras imbéciles, cobardes, ociosos... Quizá no vean el provecho inmediato...», se decía a menudo limpiándose el sudor del trabajo o del miedo. Hasta que un día se decidió a sembrar caña a lo largo de la estrecha faja de tierra laborable que había arrancado al fango. No bien la siembra se mostró en hierba, Isidro desplegó entre los vecinos —cholos del carretero con terreno al río— una curiosa propaganda de posibilidades:

—Miren no más cómo crece. Suavito he de coger después la plata. Caña para aguardiente, cholitos.

—Cierto, ¿no?

—Tierra buena desperdiciada en pantanos. Seré el único productor de la comarca —insistía con orgullo capaz de despertar la codicia del más desprendido de los hombres.

Y en la trastienda del negocio de la vieja Candelaria, donde por ese entonces el cholo Isidro Cari jugaba a la baraja los domingos —cuando por cualquier circunstancia no había donde tapar gallos—,

entre copa y copa, entre dos de caída y dos de limpia, hablaba de lo fácil de ganar dinero echando
muros a los pantanos que en realidad tenían en
completo abandono los vecinos.

—Una mina, carajo.

—Una mina.

—Yo no sé por qué...

—Por qué...

—Para el año que viene he de coger la plata guañugta.

—Guañugta.

—Todos pueden agarrar.

—Todos...

Tan hábilmente golpeó Isidro en la ambición del
cholerío, tanto dijo e hizo, que una tarde de domingo uno de sus vecinos, Alfonso Cañas, borracho como
un trapo, empapado de orgullo, gritó en medio de sus
amigos, tan borrachos como él:

—Ve, Cari. No te hagas el prosudo. Yo... Yo también estoy haciendo un muro.

—Mentiroso.

—¿Qué cosa...? ¿Qué cosa del otro mundo es para
no poder?

—No creo.

—¿No creo? ¡Carajo!

—Cholito. Yo... Yo también estoy haciendo —chilló otro de los ebrios golpeándose el pecho con la
palma de la mano.

—¿Sí?

—Sí, carajo.

La misma declaración la hicieron Juan Carasco, Ti-
moteo Guamán, José María Chaupisiqui. Era algo con-
movedor y altanero.

—Todos... ¡Todos! —murmuró Isidro poniendo una
cara de asombro y dicha inexplicables. Asombro y
dicha que le obligaron, por rara reacción sentimental, a caer de rodillas en el suelo con llanto incon-
tenible.

Ante semejante actitud —loca e inusitada— el coro
de vecinos se disculpó con babosería maternal:

—No te pongas así, cholito.

—La tierra puede ser de todos.

—De todos.

—Acaso no decías así.

—Acaso no aconsejabas así.

—Acaso no querías así.

Isidro movió la cabeza negativamente. Quiso hablar.

No pudo. Era mejor reírse y llorar al mismo tiempo. No le entenderían ni él se sentía capacitado para explicarles. Se levantó del suelo con urgencia y pidió a mama Candelaria:

—Tres litros del bueno... Pero del bueno.

—¿Tres litros? ¿Para matar la pena será, pes? —comentó el coro de los vecinos.

«No es de pena ni de envidia, pendejos... Es de algo más...», quiso gritarles, pero se calló en goce de una felicidad hasta entonces desconocida para él. Y al volver borrachísimo esa noche a su casa y sentirse sin miedo en mitad del carretero, gritó más de una vez:

—¡Ahora pueden venir los indios en manada, carajo! ¡Ahora nosotros también estamos en recua chola!

Sus afirmaciones golpearon en las tinieblas con la fuerza y la alegría de la voz que ha dado con la solidaridad y el sacrificio de los suyos para entrar en la lucha —buena, mala, criminal, traidora— de su destino.

«Antes aniquilaba a los runas... Cientos de runas para el patrón... Ahora, carajo... Ahora tendrá que ser para nosotros mismos...», fue lo último que alcanzó a decirse al entrar en la casa y caer en manos de Isabel.

Muy temprano llegó la inundación para los yatunyuras aquel año. Las aguas crecieron más que otras veces, arrancaron nuevas chozas —las situadas al principio de la ladera—, devoraron nuevos sembrados, segaron nuevas vidas. La desgracia —reclamos y lamentaciones— se desbordó entonces hasta el mismo pueblo del cholerío. Con frenesí de musiquilla de tambor y de flauta, en procesión sin cabeza ni cola —cuerpo deshilado, roto en grupos aislados, en hombres solos, en filas presurosas; murmullo caótico; olores a boñiga, a sudadero, a mortecina, todo húmedo—, cruzó parte de la indiada el vado, entró por el carretero. Isidro Cari, con olfato de perro rastreador, sintió a los runas a la distancia. Tomó su carabina y ordenó a Isabel:

—Lleva los guaguas al pueblo. Avisa por el camino

a los vecinos para que se preparen como les dije, pes. Llega la indiada.

—Pero eso...

—Con música vienen.

—Ave María.

—Nadie sabe hasta dónde pueden llegar.

—Nadie.

—Deben estar desesperados.

—Desesperados.

La chola salió disparada y cumplió el encargo al pie de la letra. Desde las tapias, tras las pencas, al amparo de cualquier recodo, por la trinchera de las ventanas más penumbrosas, se puso al acecho el vecindario —silencio felino, ojo avizor—. «Palo y plomo si los indios se ponen atrevidos», fue el pensamiento general de los hijos de Guagraloma. Felizmente la musiquilla, cual súplica de paz, se arrastró a pasos de idolatría por el camino. Sólo llevaban cuatro parihuelas rústicas, temblor en los labios y lágrimas en los ojos.

Pararon en la plaza ante la tienda que servía de cuartel a los gendarmes del orden público. El teniente político —con intereses en los proyectos de la caña—, prevenido por Isabel, recibió a la tropa de runas a la puerta del despacho entre cuatro guardias armados, y, antes de escuchar la más mínima voz, interrogó altanero:

—¿Qué quieren? ¿A qué han venido?

En silencio los comuneros se descargaron de las parihuelas. Cuatro cadáveres semidescompuestos rodaron por el suelo: dos muchachos hinchados en asfixia lívida, una longa desgajándose en harapos de carne fétida y una vieja que arrugaba en sus mejillas apergaminadas la mueca burlona de los que mueren de frío. Sin saber adónde trataba de llegar aquella muchedumbre repleta de muda indignación, y creyendo morir de asco en medio de tanta carroña, la autoridad chola insistió:

—¿Qué quieren, carajo?

—Que vea, taitico —se atrevió a decir uno de los indios.

—Que vea —corearon todos.

—¿Qué quieren que vea, pes?

—Cómo están muriendo los pobres naturales en la creciente.

—¡Ah...!

—Toda la semana hemos esperado con los muertos

a que baje el río para poder pasar el vado, pes.

—Sí. Ya veo.

—¡Que vea bien! ¡Que vea hasta entender, pes! —vociferaron los yatunyuras con altanería crecida sobre el instante de dubitación sentimental del teniente político.

—¿Ahora qué quieren que haga, carajo? —reaccionó bruscamente la autoridad.

—¡Justicia, taitico!

—¿Qué es, pes? Esto es cuestión de Taita Dios. No es cuestión de los hombres.

—¡Hemos visto! ¡Hemos visto, bonitico! —chillaron los indios dando un paso adelante.

—¿Qué vieron? Hablen claro —interrogó el cholo representante de la ley con fingida inocencia.

—Los trabajos. Los muros. Las paredes. Los atajos de este lado del pueblo, pes, taitico.

—No sean brutos. No sean animales. La ignorancia será, pes. ¿Cómo quieren que yo impida que cada cual haga en sus tierras lo que le dé la gana? Para eso es propiedad particular. Yo tengo que defender esas propiedades.

—¿Y nosotros, su mercé? —insistieron los yatunyuras en tono de reclamo y alarido.

Con nerviosidad tragicómica, los brazos y los ojos en alto, interrogó a su vez la autoridad, como si hablara a las nubes en demanda del método adecuado, de la frase clave:

—¿Cómo les hago entender pes, Dios mío? ¿Cómo? Verán. ¿Les gustaría que entre en la comunidad y desbarate lo que ustedes han hecho o construido con plata y trabajo? La choza... La iglesia... Los sembrados... Todo mismo...

—Eso no, taitico.

—¿Entonces, pes, carajo? Construyan ustedes también muros, paredes, montañas...

—Uuu... Eso... Piedras como quiera para conseguir. Lodo como quiera para hacer. Chambitas como quiera para acarrear. Pero el pobre natural de dónde para sacar cemento, cal... Cuesta plata, patroncito.

—Si son inútiles, si no tienen medio para nada, jódanse.

—En la ciudad, taita abogado... —amenazó en forma velada la tropa de indios.

—Qué abogado ni qué niño muerto. Ningún juez del mundo puede darles gusto, pendejos. Lo que ustedes quieren es que yo entre en las casas del vecindario de Guagraloma, de nuestro pueblo, de mi pueblo, violando la propiedad, rompiendo la tranquilidad general y termine con las construcciones que han realizado patrióticamente en sus tierras de la orilla del río algunos de nuestros hombres. No, mis queridos amigos.

El teniente político siguió su argumentación en tono de discurso. Aquello de «la tranquilidad general», aquello del «patriotismo», aquello de «nuestros hombres», lo había aprendido en los periódicos que revisaba de cuando en cuando —alcahuetería de la acción de dictadores gamonales con disfraz constitucional—. Nunca le falló el método. Pero en esa oportunidad la indiada interrumpió al orador:

—Hemos de matar. ¡Hemos de matar, carajooo!

—¿A quién? ¿A quién, carajo? ¡Indios asesinos, criminales! —chilló la autoridad chola dando un paso adelante y levantando al mismo tiempo la diestra en gesto heroico de capitán de opereta.

El cholerío de Guagraloma que rodeaba la escena encrespó en silencio cólera y alerta en defensa de su teniente político y fue acercándose paso a paso al centro mismo de la discusión.

Con sinuosidad de quien trata de rectificar una atrevida y secreta venganza que se le escapó sin querer, la indiada murmuró:

—Justicia, taitico.

—¡Qué carajo! Yo he sido nombrado para defender al pueblo, a los señores del pueblo, a los hombres honrados del pueblo, no a los runas que quieren matar al cristiano. Ya mismito se llevan toda esta porquería fétida.

—Justicia, taitico.

—Y no vuelvan por aquí en manada, porque les hago dar bala hasta en la lengua.

—Justicia, taitico.

—¡Criminales! Han querido acabar con nuestras mujeres, con nuestros guaguas...

Fue entonces cuando los cholos creyeron oportuno castigar el atrevimiento de los comuneros atacando en masa, a patadas, a palazos y a pescozones. A los comuneros que, con resignación sumisa y morbosa, se dejaron maltratar mientras cargaban a sus muertos y huían por el carretero gritando:

—¡Justicia, taiticooo!

Magullados, sangrando por la nariz y por la boca,

en derrota de lamentos, con algo que pesaba más que la carga que llevaban, llegaron los indios a su comunidad.

Sólo cuando el teniente político puso centinelas armados por donde podían filtrarse los runas de Yatunyura, con la orden terminante de hacer fuego en el momento preciso, se calmó la inquietud del pueblo. No obstante —codicia y testarudez chola— se redobló el trabajo en la orilla del río, se abrieron nuevos canales, se aseguraron los muros, se repararon con porfía los destrozos de la corriente, aún indómita.

Más tarde la recompensa de los cañaverales no fue mezquina, sobre todo para Isidro. El extenso pantano fue transformándose a la medida de los sueños del cholo. Y, cosa curiosa, un día —influencias de Salomé y olvido y perdón bien pagados a Gabriel—, Cari arrendó el trapiche de la Providencia. Fue así como el mayordomo de otro tiempo se convirtió —por sus propios métodos— en el productor número uno de aguardiente de toda la región, o sea, en un nuevo y curioso tipo de cholo gamonal.

Entre el cielo y la tierra corría un aire sin esperanzas cuando la indiada entró en Yatunyura y pudo tenderse con silencio de animal enfermo por chaquiñanes, por el bosque alto, por las zanjas. La luz de un día gris, largo como ninguno, parecía aferrarles a las cosas queridas: las siluetas de los cerros, las viviendas que aún quedaban en pie, la iglesia rústica, el lodo de los senderos, taita Yatunyura musgoso y adusto, el potrero comunal en gran parte sumergido en el fango. Sólo a la noche —todo borrado en los sentidos, todo vivo en el recuerdo— la indiada se abrió en un rosario de lamentaciones:

—¿Qué haremos ahora, pes, taiticos?
—¿Dónde iremos a cainar?
—Sin paja para la choza.
—En el páramo hay paja.
—Sin leña para el fogón.
—En el páramo hay leña.
—Sin terrenos para sembrar.
—En el páramo hay rocas.
—Tendremos que ir al páramo los pobres naturales.

—El páramo no es ajeno.
—De Taita Dios no más es.
—Con viento, con frío, con agua.
—Pero cainando a gusto, llorando a gusto, murien-do a gusto.
—Sin que nadie le quite.
—Sin que nadie le eche la desgracia encima.
—Caminen no más, guaguas.
—Caminen no más, longas.
—Caminen no más, rucos.
—Al viento, al frío, al agua.
Con sus propias voces se sugestionaron los indios que hacía mucho vagaban a la intemperie, e hipno-tizados por esa dura esperanza —gateando entre los chaparros, arañando entre las peñas—, ascendieron por la ladera. Se trataba de los más desesperados, de los que vieron desaparecer su choza, su huerto y sus animales en el agua, de los que todo habían per-dido menos la vida que arrastraban. Arriba —nadie sabía dónde—, alguien preguntó:
—¿Dónde estamos, mamitica?
—Donde también estaremos, pes.
La presencia mareante de la altura y de la oscu-ridad obligó a las gentes que ascendían a extender las manos y a esforzar el olfato para orientarse —an-sia de descubrir ese perfume a tierra fecunda que buscaban en vano.
—¿Dónde?
—¡Aquí! ¡Aquicito!
—No vale. ¡No!
—Mañana veremos, pes.
—Mañana.
—Achachay.
—Busquemos un hueco, una peña, un algo.
—En la quebrada...
Cuando el débil amanecer clareó en el verde ama-rillento de los pajonales, en la felpa gris de los fraile-jones, en la espuma herrumbrosa de los líquenes, los yatunyuras que habían ascendido —agarrotados por el viento que cortaba en cuchilladas, por el soroche que apretaba en el estómago y en la garganta—, se miraron de reojo unos a otros. ¿Cuál resiste más?
—Dame con el acial en las manos para calentarme, pes.
—Duro hasta que salga sangre.
—Dame en las piernas.
—Dame en la espalda.

—Achachay, carajo.

A pesar de lo inhospitalario de las alturas —cerca de los cuatro mil metros—, lo brumoso del cielo, lo roqueño de la tierra, la muchedumbre fugitiva se levantó con esa fuerza misteriosa de las gentes que se aferran hasta el último momento a la existencia. Las mujeres abrigaron a los críos en las arrugas de la ladera. Los hombres, entre bromas y carajos, azotaron a las longas para curarles los sabañones y el vómito del soroche. Algunos fueron en busca de leña, de agua, de palos y de paja para armar las chozas. Otros, los más expertos en la materia, exploraron los alrededores con la esperanza de descubrir la poca tierra laborable que jugueteaba con el viento entre las rocas. Lo poco que hallaron fue para todos.

Entretanto los indios que quedaron en la ladera alta, sin brujos, sin alcaldes —sólo la iglesia y una veintena de chozas erguíanse de milagro—, acorralados por el temor de nuevas inundaciones, rumiando odio por la injusticia de las gentes de Guagraloma —en los viejos tiempos los patrones les quitaban la tierra a bala; ahora los cholos, hijos de indio o de india con algún huairapamushca, les arrancaban el resto en complicidad taimada con el río, con...—, vagaban sin tino por la montaña.

Sólo taita cura —visita de tarde en tarde— les daba ánimo, y, en sus pláticas de consuelo, les ponía el ejemplo edificante de Taita Dios crucificado. Dos o tres veces les ofreció milagros próximos y de su parte les advirtió:

—Si algo pasa de nuevo, búsquenme. En el momento preciso yo... Entonces...

—Dios se lo pague, taitico.

Siguiendo la vieja costumbre, y como hacía mucha falta, el sacerdote nombró indios de vara e hizo que lo que quedaba de la comunidad elija a Pablo Tixi para alcalde. La choza de la familia Tixi, ubicada en una pequeña elevación del terreno, no había sufrido hasta entonces mayores desgracias. En cuanto se sintió autoridad responsable el marido de mama Juana desplegó buena maña para llegar a San Martín y entrevistarse con un tinterillo —hábil sujeto el cual se hacía llamar doctor—, quien, después de tomar el agradito —dos buenas ponedoras— y cobrar la consulta, se hizo cargo de la defensa de los comuneros, aun cuando se hallaba convencido de no tener ninguna ley en favor de sus clientes. Luego dio al indio instrucciones llenas de esperanza:

—En el momento preciso me avisan para poder constatar el hecho con testigos de nuestra parte.

—Dios se lo pague, su mercé.

Pascual y Jacinto, entretanto, desde la primera creciente, se dedicaron a buscar el momento propicio de una fuga sin retorno, de su sueño de abandonar para siempre la indiada. A cada grito desesperado de una vida o de una choza que arrastraban las aguas, ellos, en vez de lamentarse por la pérdida o ayudar en la defensa, oteaban con deleite y esperanza la ribera opuesta —filas de casas cholas sentadas a lo largo del carretero, iglesia de altas torres, plaza de feria—. Tan escandalosa era la actitud de los muchachos que los yatunyuras, en medio de su desgracia, comentaron más de una vez:

—¿Qué será, pes?

—Locos parecen los Tixi chiquitos.

—Levantando las manos.

—Las manos coloradas como de diablo.

—Quieren volar.

—Pasarse al otro lado.

—Ave María.

—Que les hagan conjurar.

—Siempre mismo huairapamushcas.

Aquel año el invierno se prolongó en acuosidad solapada, llenando de fango los caminos, desdibujando con lluvias torrenciales y con espesa neblina la silueta del pueblo y los humildes trazos de las chozas desperdigadas por el paisaje. Hasta que un amanecer, desde lo más lejano del horizonte, llegó el rumor de la creciente.

—¡Ya viene, taiticoo! —gritaron los yatunyuras.

—¡Ya entra por el portillo de la rinconada!

—¡Maldito río, que se dejó convencer por los huairapamushcas! —murmuró una anciana de cara y manos terrosas, mirando a la orilla opuesta y alzando el bordón pordiosero con bruja amenaza.

Las aguas, mientras tanto, hinchando todas las orillas lodosas, rugientes, liquidaron el fango del pantano, precipitándose con rapidez inverosímil sobre las primeras chozas, sobre el resto del potrero comunal, sobre los chaparros, sobre los gritos de la gente que corría despavorida en busca de refugio.

—¡Misericordia, Taitiquito!

—¡Malditos huairapamushcas!

—Se van los trapos del guagua.

—La puerta también.

—¿Y mama vieja?

—Que Taita Dios ampare a mi pobre longo, que salió a pastar los borregos —se lamentó una india de anaco rotoso y cabellera revuelta que tiraba de una soga a un perro encanijado, el cual alzaba de vez en vez la cabeza con ladrido sombrío.

El terror de los primeros momentos, agravado por el huracán que estremeció la pared de la montaña tapizada con ese verde fúnebre de los follajes húmedos, por el sonoro y tumultuoso llegar de las aguas, por la queja de la tierra al deshacerse, armó por todas partes —grupos en fuga— un diálogo de quejas y de reclamos urgentes:

—¿No ha visto a mi guagua?

—No. Al mío también le busco.

—¿Qué dice mama Pastora? ¿Qué hace que no corre?

—¡Mi guaguaaa!

—¿Y mi longa?

—En el bosque le vi.

—¡Me muero! ¿Qué bosque, pes? Todo está hecho una lástima.

—Con los borregos estaba mi chiquita.

—¿Cuál, pes?

—La menor.

—¡Corra si no quiere morir!

—¡Corra, taita!

—¿Cómo, pes?

—¡Deje no más eso!

—Por el chaquiñán. Venga...

—¡Longooos!

Era tal el desconcierto que unos corrían sin saber adónde, otros —atrapados por el terror—, se quedaban como petrificados ante el gigantesco espectáculo. Algunos, ingenuamente, insistían en el rescate de los palos viejos y de los trapos sucios de la choza. Nunca el agua había sido tan cruel y brava como entonces, nunca subió tanto, nunca se atrevió a entrar en la iglesia, nunca pudo trepar hasta el chaparro.

—¡Longuitaaa! —gritó un indio con la creciente a la cintura dirigiéndose a los últimos restos del techo de su choza sumergida. El eco le respondió:

—Aaa...

—¿Dónde te metisteee?

—Eee...

Siguió hablando en el mismo tono desesperado. Y como creyera que su longa le reclamaba desde el seno turbio de la tempestad echó al agua las cosas que llevaba sobre la espalda e insistió en su demanda:

—¡Longuitaaa!

—Aaa...

—¡Espérame un raticooo!

—Ooo...

Envuelto en la burla del eco avanzó hacia su obsesión. Dio uno, dos pasos. Preso del brazo de un remolino turbio, absorbente, cayó con las manos en alto, exclamando:

—¡Longuitaaa!

—Aaa...

A mediodía calmó la tempestad. Pero la creciente —oleaje incansable— siguió arrastrando —toda aquella tarde— cuanto había atrapado a su paso.

Pascual y Jacinto, chorreando agua y lodo, ayudaban como autómatas a salvar algo de la choza anegada, mientras en su intimidad profundamente hermanada se revolvían las interrogaciones paradójicas: «¿Por qué? ¿Cuándo podremos...? Imposible ahora que todo se ha cerrado. ¿Trepar al páramo como lo hicieron los otros y harán éstos? ¡No! ¿Por dónde entonces? ¿Por dónde ir al pueblo? Somos cholos. ¡Choloos!»

—¡Salven los cueritos! —gritó mama Juana desde la orilla donde había amontonado lo que buenamente el marido y los hijos arrancaron a la desgracia.

—¿Para qué pes, mama? —respondieron a tiempo los mellizos.

—¡Para cainar en la noche!

—¿En la noche? Uuu...

—¡Salven no más guaguas!

—Acaso es nuestro.

—¿Qué buscan aquí entonces pes, carajo? ¿Qué andan oliendo como ashcos sin dueño? —intervino taita Tixi surgiendo misteriosamente del barro.

La discusión —al parecer sorda y terca como la tormenta— se desvió antes de iniciarse gracias al

griterío de algunos indios e indias que llegaron con
la novedad de la inundación de la iglesia.
—Que taita alcalde saque a Mama Virgen.
—Que venga pronto, pes.
—Que saque, bonitico.
Bajo la impresión de aquel requerimiento Pablo
Tixi abandonó los restos salvables de su choza, y, seguido de la tropa de comuneros que le trajo la noticia, con el agua a los tobillos, avanzó hasta la plaza.
Como pequeñas barcas de paja las chozas semihun-
didas parecían ampararse y hacer guardia a la vez
en torno del naufragio inminente de los viejos muros
de la capilla. Taita alcalde tuvo que dar un gran rodeo —las aguas profundas, el piso resbaloso, el lodo
traicionero— antes de ganar su objetivo. Una vez en
él trepó con gran destreza por el altar mayor y sacó
en hombros a la Milagrosa.
Al amparo de la confianza que las gentes adquieren
al tratar íntimamente a una divinidad, la muchedumbre alterada y enloquecida de Yatunyura, no bien
volvió la lluvia y se pudo constatar que la creciente
ascendía poco a poco devorando nuevas tierras, exigió a gritos a la Madre de Dios que reposaba en el
suelo junto a la verdad de todos:
—Calma las aguas, Bonitica.
—¿Qué has de hacer, pes?
—Pare eso estás cainando con nosotros.
—Pare eso te sacamos de la iglesia, donde iba a
ahogarte.
—Ahogarte como pichón de paloma.
—Como pishquito tierno, pes.
—¿No estás viendo cuánto ha quedado hecho ñuto
como guagra rodado, como caña molida?
—¿No estás palpando, pes?
—La choza hecha leña.
—Leña húmeda para llorar.
—Los guaguas y los animalitos sin saber adónde fue-
ron, pes.
—Antes la tierra guañugta para los sembrados.
Ahora muerta bajo el agua.
—Temblando de frío la guarmi.
—Enferma la mama vieja.
Ante la ausencia de lo extraordinario que todo lo
transforma para bien, ante el curso imperturbable de
la tragedia que soportaban, los indios amenazaron a
la Virgen:
—De cabeza en el pantano si no hay caridad, si...

—Por mal shungo, pes.

—Por no querer hacer el favor.

—Por mirar al pobre natural con indiferencia, como ashco manavali.

—Ahora mismito.

—De cabeza.

—De cabeza al pantano, pes.

—Para que vea, para que pruebe lo que es el lodo.

—Para que calme la tormenta del Huaira.

Y fue Pablo Tixi quien, sin poder controlar las vehementes exigencias de los suyos, aturdido hasta las lágrimas, llevó a la Milagrosa al pantano del potrero comunal en procesión epiléptica que exigía:

—Que vea no más.

—Que sienta lo que nosotros, pes.

—Que quite las aguas.

—Que ponga el sol.

—Para comprobar si es mama y no huairapamushca.

—¡Mama o huairapamushca!

—¡De cabeza!

En el terreno suave de la ciénaga, más chirle que de ordinario por el caudal de agua llegado a última hora, taita alcalde depositó de cabeza a la escultura bendita con la solemnidad de quien echa la primera piedra para erigir el monumento al milagro. Un ruido como de mala digestión tragó lentamente a la Virgen. Luego se estremeció con leve calofrío el retazo verdoso del pantano, lleno de tumoraciones y de hierbajos. Surgieron a flote unas cuantas burbujas.

—Parece que se queja, pes.

—Como pobre natural en desgracia.

—Parece que llora, pes.

—Hasta quitar las aguas.

—Hasta poner el sol.

—Así mismo es...

Al calmar los ruidos de la Milagrosa al hundirse, la muchedumbre enmudeció en espera de... Arreció la lluvia y puso sobre el fango un velo de neblina. Alguien interrogó ante la tardanza del portento:

—¿Y si se va la Bonitica?

—¿Adónde, pes?

—De donde vino.

—Dejándonos solitos.

—Enojada, pes.

—Veamos entonces.

—Veamos.

Con peligro de la vida —muchos cayeron en el lodo chirle, profundo y hubo que salvarlos—, entre quejas de arrepentimiento, hurgando con palos, metiendo los brazos y las piernas hasta donde era posible, la indiada buscó a la Virgen. Cansados, con la desilusión de quienes han perdido la última esperanza y se sienten solos, comentaron:

—Ha desaparecido lueguito no más.

—¿Cómo...? ¿Cómo ha de tener valor para eso, pes?

—¡Búsquenle bien!

—No hay por ninguna parte.

—Por ninguna...

—Cobarde la Milagrosa, atatay.

—Huyendo como ashco malagradecido, ayayay.

—¿No decían que era Mama del pobre natural?

—¿Cómo, pes?

—Cara de huairapamushca.

—Vestido de huairapamushca.

—Adornos de huairapamushca.

—Corona de huairapamushca.

—Guagua de huairapamushca.

Aquella letanía dislocada y vengativa desbarató la actitud hasta entonces serena de Pablo Tixi. «Los huairapamushcas», se dijo, sintiendo que se le desgarraba el alma, que algo venenoso le gruñía en la sangre, le pulsaba en las sienes, le silbaba en los oídos. Necesitaba moverse, maldecir, insultar, para no caer muerto. Trepó como un poseso —seguido por el coro de indios e indias— por las rocas en donde se erguía el viejo Yatunyura. Lleno de lodo y mugre, rodeado de la derrota y la impotencia de los suyos, febril en rencores ancestrales, dirigiéndose a Guagraloma, que intuía entre la bruma —morada de los vencedores—, se puso a vociferar:

—¡Huairapamushcas, bandidooos!

El coro de indios e indias que había seguido a taita alcalde, cual eco en retablo de sonámbulos —caras hinchadas unas, desencajadas otras; ojos de espanto sin lágrimas en los hombres, enrojecidas de llanto en las mujeres; narices mocosas de frío, de suciedad, de dolor; manos crispadas en furia de impotencia bajo el poncho o en el aleteo alocado hacia el cielo—, que todo lo más íntimo del alma lo dejaba en libertad, que todo lo ponía en claro, fue subrayando con alarido de **agonía las amenazas y los** insultos del indio Tixi:

—¡Bandidooos!

—¡Huairapamushcas ladrones!
—¡Ladroneees!
—¡Al agarrar hemos de matar no más!
—¡Hemos de matar no máaas!
—¡Sangre hecho chorro!
—¡Chorrooo!
—¡Carne hecho ñuto!
—¡Ñutooo!
—¡Arrancando nuestra tierra, nuestras guarmis, nuestros guaguas, bandidoooos!
—¡Bandidooos!
Y como la furia no halló respuesta —rebotaba en el fango, en la voz de las aguas, en la distancia, en la neblina, en la inmutabilidad del triunfo cholo— todos se inclinaron de pronto hacia la súplica al árbol tutelar:
—Taita Yatunyura, boniticooo...
—Mama Taita Dios de amo cura.
—Bueno será, pes, para los blancos, no para el pobre natural.
—Mama Virgen también enojada de purita gana.
—Ahora taita Yatunyura que vea, pes.
—Que considere, pes.
—Que perdone, pes.
—Que olvide lo que las guarmis y los longos malagradecidos se fueron no más donde otro taitico grande, pes.
—Sangre de animal te hemos de dar para que resistas al Huaira.
—Como dicen que agarraste a la tierra en tiempo de los viejos agarra ahora.
—¡Duro, pes! —chillaron algunas mujeres, tomando barro del suelo en apretados puños.
Entretanto, Pascual y Jacinto, con expresión como de burla para las cosas de los runas —por muy dramáticas que sean o aparezcan—, husmeaban el posible salto sobre el abismo —avidez taimada de prisionero que descubre una puerta peligrosa para su fuga—, calculando de reojo la distancia de la garganta que formaban las rocas en su parte más estrecha, mirando hacia el fondo de las aguas tumultuosas, fantaseando entre las ramas del viejo Yatunyura —frondoso follaje prieto de musgos, de líquenes, de nidos sin pájaro—, que desmelenaba el viento hacia los campos del cholerío. «¿Por dónde? Por las ramas... Saltando desde lo alto... ¿Para caer...? ¿Al abismo? ¿Al otro lado? Pero taita diablo runa...»,

pensaron los muchachos más de una vez.

A los dos días de aquello calmó la tormenta y bajó un poco la creciente. Pablo Tixi, lleno de responsabilidad —reacción instintiva contra el infortunio que devoraba la tierra, que se llevaba las chozas, los animales, las gentes— trató de buscar alivio para los suyos. Recordó entonces el ofrecimiento del señor cura de Guagraloma y la advertencia del abogado de San Martín. Con esa obsesión buscó a lo largo de la orilla. Le era indispensable cruzar el río. «Hasta la cintura, hasta el pecho, hasta el cogote...», se dijo con la visión clara de hundirse en la corriente. Pero de pronto se le ocurrió la idea de ir atado a una cuerda.

—Las huascas —repitió a media voz trepando la ladera en busca del galpón donde había amontonado los restos de su choza. Dio la coincidencia que los mellizos tropezaron con taita alcalde cuando éste bajaba presuroso llevando las cosas para su plan —una hacha, dos huascas.

—Taitico —murmuraron al mismo tiempo Pascual y Jacinto. Y ambos, al impulso de una diabólica curiosidad, concluyeron mentalmente: «¿Qué puede el pobre taita runa contra la tempestad, contra la creciente, contra la tierra que se va para el indio y que llega para el cholo? ¿Qué? Nada, pes... A lo mejor quiere... Y entonces...»

—¡Vamos! ¡Vengan, pes! —invitó a los mellizos, deteniéndose de pronto Pablo Tixi en previsión de la ayuda que necesitaba. A pesar de su desconfianza y de su odio en ese instante —estúpido compromiso sentimental de su destino— confió, mejor dicho, se entregó a «sus hijos».

—Vamos —aceptaron los muchachos mirándose con burla y maligna complicidad.

Bajaron por el fangal de un recodo que aún resistía a la total inundación, mientras mama Juana, al notar la falta del marido y los longos —sospecha fundada en amargas experiencias—, se puso a buscarles desesperadamente. Desde un risco de la ladera alcanzó a divisar que en la playa desolada y lodosa que dejó la creciente al retirarse, Pablo, Pascual y Jacinto —empequeñecidos por la distancia—, se afanaban cual diligentes escarabajos junto a un arbusto al que sólo le quedaba en tronco erguido como una estaca.

—¡Taiticooo! ¡Guagüiticooos! —llamó mama Juana con voz que trataba de intervenir y disolver si era necesario toda mala disputa. Difícil taladrar esa espesa confusión en la cual se hundía el paisaje.

Taita alcalde se acercó a la orilla donde el río era menos turbulento debido a la extensión del cauce. Olfateó el posible vado. Dejó el hacha y las huascas al pie del tronco del arbusto. Se quitó el poncho. Se limpió las narices con el dorso de la manga. Tomó las huascas y empezó a desenrollarlas como cuando se preparaba a enlazar el ganado bravo.

«¿Qué tratará, pes, de hacer con los longos?», pensó mama Juana y se puso a gritar con enorme alharaca:

—¡Taiticooo! ¡Guagüiticoos!

A las voces de la india llegaron en su auxilio algunas gentes de la comunidad.

—Ave María, mama señora.

—¿Qué pasa, pes?

—Diga no más.

—Por vida suya, bonita.

—¡Taita alcalde! Vean... Abajo... ¡Sería de socorrer! —propuso la mujer de Tixi en contestación al requerimiento general.

—¿Cómo, pes?

—¡De socorrer, mamiticas!

—Toda la noche ha llovido en la cordillera. El Huaira, el rato menos pensado, ha de mandar no más la creciente.

—Así mismo es, pes.

—Ave María.

—¡Vean! Taita alcalde se envuelve la huasca en la cintura.

—Pasa por el árbol la cuerda como para sostener a una res brava, pes.

—Algo dice a los longos.

—Entra en el agua.

—¡Jesús, bonita!

—¡Taiticooo! ¡Guagüiticooos!

En ese instante, con el agua a las rodillas, amarrado a la cintura, Pablo Tixi pidió a los muchachos:

—Irán sosteniendo duro, pes. No aflojarán de golpe. Verán bien al pobre taita. Tengo que ir al otro lado. Si caigo tirarán con toda la fuerza. Para eso son machos.

Pascual y Jacinto, con extraño y apetitoso deleite de triunfo en las pupilas, afirmaron con la cabeza.

—Suelten un poquito más, pes —insistió el indio.

La cuerda corrió alrededor del tronco del arbusto y taita alcalde avanzó hundiéndose lentamente con la pericia de saber agarrarse —plantas y dedos de los

pies— a la arena y a las piedrecillas del fondo. A los
diez o doce pasos sintió que le envolvía el vértigo de
la corriente en amenaza para retroceder, pero él a
la vez oyó una especie de gemido que le llegaba desde la orilla yatunyura, desde su corazón, desde los
muertos que arrastró la desgracia, y gritó:

—¡Suelten sin miedo, longos!

Ante aquel requerimiento Pascual y Jacinto sintieron un despertar de amargas visiones, un renacer de
cosas íntimas. El viento huracanado, las voces cada
vez más precisas del grupo de indios de la ladera,
los mil ruidos del agua les removió —cólera ascenden-
te— la memoria del sadismo de las borracheras de
taita diablo runa sobre el cuerpo de la madre tendida
en el suelo. Y la cuerda que corría entre las manos
al ritmo de la necesidad y del cuidado se puso dura,
se puso...

—¡Suelten otro poquito y aguanten! —suplicó Pablo Tixi.

El agua prieta, cabrilleante, envolviendo al indio
más de la cintura, parecía invitar a los muchachos
para que suelten definitivamente la huasca, la huasca, que...

—Arrarray —murmuró Jacinto sintiendo fuego en
los dedos.

—Arrarray —confirmó Pascual en idéntica queja.

—¡Aguanten, carajo! ¡Está creciendo! —chilló taita
alcalde. Súplica que los muchachos no alcanzaron a
oír. Algo más fuerte, más profundo, les hablaba en
ese momento desde la sangre, desde...

—¡Arrarray! ¡Arrarray, carajo! —afirmaron a un
tiempo los mellizos con sinceridad de llagas en las
manos.

—¡Aguanten hasta volver! ¡Quiero volver! ¡Un ratico no más por caridad, longos!

—¡Arrarraaay!

La queja y la razón de Pascual y Jacinto eran autén-
ticas. En las cicatrices curtidas por el sol, por el
trabajo, por el olvido, aparecieron de pronto —centu-
plicados ardores— las candelas del fogón, el olor a
carne asada, la fuerza cruel de taita diablo runa mon-
tado sobre ellos.

—¡Aguanten, carajo!

—¡Nooo!

—¿Qué les pasa longos, huairapa...?

Libres las huascas giraron como en un torno suelto. Las manos de los muchachos dejaron de arder.

Pablo Tixi, al sentirse traicionado, alzó instintivamente los brazos y recordó con furia de maldición que los longos a los cuales se había confiado eran hijos de taita diablo blanco, huairapamushcas. Quiso insultarles, decirles quiénes eran y de dónde venían, pero el agua pesada, gruñona, le arrebató la voz y le arrastró con furia incontrolable. Su último pensamiento quizá le reconfortó en su desesperación: «Quedo en ellos. Runas por la mama. Runas por la choza. Runas por la tierra. Runas por el látigo que les he dado...»

Desde la distancia de la ladera llegó la voz de mama Juana, al mismo tiempo que un chapoteo leve, casi imperceptible, trenzaba al cuerpo de taita alcalde en la corriente fangosa.

—¿Por qué, pes? ¿Por qué soltaron así al pobre taita runa?

—Desapareció —dijo Pascual con sorpresa diabólica al otear sobre la piel turbulenta del río.

—Se fue —respondió como un eco Jacinto, observándose las manos enrojecidas, temblorosas, sin dolores.

—¿Por qué soltaste? —interrogó el un hermano al otro.

—Me ardían, pes. Pero...

—Fueron las tuyas.

—Las tuyas también.

—¿Entonces?

—¿Qué, pes?

—Para siempre.

Con gesto sombrío los mellizos miraron hacia el risco de la ladera, desde donde la tropa de yatunyuras comentaba la desgracia que acababa de presenciar y echaba maldiciones sobre los hijos de mama Juana:

—Se fue taitico.

—Taita alcalde.

—¡Alcaldeee...!

—Cobardes los longos.

—¡Longooos...!

—Sin fuerza de runa para sostener las huascas.

—¡Las huascaaas...!

—¿Qué yatunyuras han de ser, pes?

—¡Han de ser, peees...!

—¿Qué también serán? ¿Serán de aquí? ¿Serán de allá?

—¡De alláaa...!

—Huairapamushcas, bandidos.

—¡Bandidoooos...!

—Sin shungo para taita alcalde.

—¡Alcaldeee...!

—Huyamos —propuso Pascual.

—¡Muertooo...!

—Muerto.

—¿Por dónde, pes? —interrogó Jacinto mirando en su torno.

En queja de contrapunto mama Juana —mínima figura acurrucada sobre el lodo, junto al coro de anatemas y maldiciones de la tropa de yatunyuras— alzaba de cuando en cuando la cabeza para gritar con enloquecida ternura maternal:

—¡Guaguas! ¡Guagüiticos!

Todo era para ellos sin importancia, todo resbalaba sobre sus sentidos. Iban de un lado a otro —en busca de algo que no sabían dónde hallar— a lo largo de esa especie de playa desierta que empezaba de nuevo a llenarse. Las aguas crecían, se arremolinaban.

—Ya viene dando tumbos —advirtió alguien. Y en pánico de desbandada corrió la gente:

—¡Ya vieneee...!

—Bramando como diablo.

—Silbando como Huaira maldito.

—Cubriendo como derrumbe.

—¡Ya llegaaa...!

—Para acabar con lo poco que queda.

—Con las chozas, con los sembrados, con los animales.

—Con la tierra del pobre natural.

—¡Al páramo, carajo!

—Que se trague todo, que se lleve todo.

—Corran no más.

—¡Ya está aquicitooo...!

—Guaguaaas... ¡Guagüiticooos! Vengan. Ya viene la creciente. En el páramo hemos de cainar, pes. ¡Guagüiticoos! —chilló mama Juana levantándase del lodo.

Los mellizos se miraron con la esperanza de que algo les salvaría, algo superior a toda esa miserable tragedia de los runas, algo que soñaron siempre y que no estaba en el páramo, que no estaba en las lágrimas ni en el perdón de la madre india, que no estaba en la fuga de una comunidad primitiva. Además, la creciente se había precipitado por un desnivel del terreno y les cortaba la retirada. Ambos, con violencia instintiva, observaron entonces al árbol tutelar

de los yatunyuras —erguido en una especie de alto
islote, desafiando a todos los vientos—.

—Por él —dijo Pascual con ajena voz y se apoderó
del hacha que había dejado taita diablo runa en el
fango de la orilla.

—Por él —repitió Jacinto mirando a su hermano
como nunca lo hizo —dolor de esperanza que le
arrancaba de la matriz de su existir indio—.

—Guaguaaas... ¡Guagüiticoos! Vamos a cainar arri-
baaa... —siguió entretanto mama Juana arrastrada por
la huida de los comuneros, que trepaban hacia el
páramo —su último refugio—.

El arma de los longos huairapamushcas se prendió en el viejo tronco una, cien veces. En la herida
—boca abierta de lagarto— parecía quejarse la madera. Y en las ramas, en las hojas, en los nidos sin pájaros, en el musgo prieto, en los líquenes centenarios,
estremecíase un estertor de maldición a cada ha-
chazo.

—Guaguaaas... ¡Guagüiticooos!

«No. Al páramo. No. ¡Jamás! Nosotros somos...»,
respondían mentalmente Pascual y Jacinto al requerimiento de la madre cada vez más lejano, sin atre-
verse a pensar lo que pretendían ser, mientras se
turnaban el trabajo con sangre en las manos. El
dolor les era leve —lavaba los rencores—, no les
ardía las cicatrices como con las huascas de taita
diablo runa. Y al caer el viejo Yatunyura tembló la
tierra, el abismo no pudo tragarle —alcanzó con su
copa frondosa la orilla chola—. Sobre ese puente huyeron los longos huairapamushcas. Les guiaba una
misteriosa ambición que apuntaba en secreto —desde
siempre— hacia su transformación en cholitos de Guagraloma o de cualquier otro pueblo de la sierra.

Quito, a 18 de mayo de 1947.

FIN

ÍNDICE

TITULOS PUBLICADOS

EL DESAFÍO AMERICANO. - J.-J. Servan-Schreiber.

UN MUNDO FELIZ. - Aldous Huxley.

TEORÍA DEL PSICOANÁLISIS. - C. G. Jung.

COLOQUIO EN SICILIA. - Elio Vittorini.

EL GENERAL DE LA RÓVERE. - Indro Montanelli.

LA MASCARADA. - Alberto Moravia.

MISS GIACOMINI. - Miguel Villalonga.

RUBAIYAT. - Omar Kheyyam.

VEINTICUATRO HORAS DE LA VIDA DE UNA MUJER. - Stefan Zweig.

JUEGOS PROHIBIDOS. - François Boyer.

LA GUERRA SECRETA DEL PETRÓLEO. - Jacques Bergier y Bernard Thomas.

VIDA EN FAMILIA. - Giovanni Guareschi.

EL RETO. - Anton Chejov.

EL LADRÓN DE BICICLETAS. - Luigi Bartolini.

EL MONO DESNUDO. - Desmond Morris.

EL MISTERIO DE LAS CATEDRALES. - Fulcanelli.

LA REFORMA QUE LLEGA DE ROMA. - Karl Rahner, Mario von Galli y Otto Baumhauer.

EL GRAN GATSBY. - F. Scott Fitzgerald.

CREEZY. - Félicien Marceau.

POLÍTICA EXTERIOR AMERICANA. - Henry A. Kissinger.

EPISTOLARIO, I (1873-1890). - Dr. Sigmund Freud.

EPISTOLARIO, II (1891-1939). - Dr. Sigmund Freud.

LA EUROPA DE LENIN. - Fernando Díaz-Plaja.

LOS ESCÁNDALOS DE CROME. - Aldous Huxley.

HISTORIAS DE PLINIO. - F. García Pavón.

A LAS SIETE DE LA MAÑANA. - Eric Malpass.

NAPOLEÓN TAL CUAL. - Henri Guillemin.

SUECIA, INFIERNO Y PARAÍSO. - Enrico Altavilla.

HITLER SIN MÁSCARA. - Edouard Calic.

LOS ALACRANES. - Baltasar Porcel.

CIENCIA Y SUPERVIVENCIA. - Barry Commoner.

EVOLUCIÓN, MARXISMO Y CRISTIANISMO. - Diversos autores.

UN DÍA DE LA VIDA DE IVÁN DENÍSOVICH. - Alexandr Soljenitsin.

¿MONO DESNUDO U HOMO SAPIENS? - John Lewis y Bernard Towers.

CUMBRES DE ESPANTO. - C. F. Ramuz.

PALABRAS Y SANGRE. - Giovanni Papini.